Nain/Mam-gu

Gwasg
Gwynedd

Argraffiad cyntaf — Tachwedd 2010

ISBN 978 0 86074 267 8

Mae'r cyhoeddwyr yn cydnabod cefnogaeth ariannol
Cyngor Llyfrau Cymru.

Cyhoeddwyd gan
Wasg Gwynedd, Pwllheli

Cynnwys

Hand-mi-down

Mererid Hopwood

Ces fenthyg ganddi 'nillad bron i gyd
– y siôl a'r les a'r sgidie gwaith bob-dydd –
a'r dwylo fu yn altro'u lled a'u hyd
oedd dwylo glew ei theiliwr hi a'i chrydd.
Rhoes fenthyg wedyn hyd 'n oed fwy na hyn
i'w hwyrion iau nas gwelodd hi erioed –
rhoi aur ei gwên a glas ei llygaid llyn,
a dawns ei hiaith yn enfys dan eu troed.
Ac weithiau, mewn rhyw air neu ystum llaw
nad ydyw'n perthyn cweit i'r amser hwn,
neu ffordd o weld sy'n estyn o'r tu draw
ryw ddeall hen i'm plant bach i – mi wn,
er bod y wisg a'i lliwiau'n mynd yn hŷn,
mai'r un yw'r llaw sy'n dal i wnïo'r llun.

Mam-gu Ffair-rhos

Lyn Ebenezer

Petawn i'n meddu ar ddawn Rembrandt ac am greu darlun o'r fam-gu ddelfrydol, byddwn yn ei phortreadu fel menyw fach siriol gyda gwallt wedi'i glymu'n belen yn y cefn, a hwnnw'n wyn fel eira cynnar Ionawr. Byddai croen ei hwyneb yn llyfn a di-grychni ac o liw llaeth enwyn, a byddai gwên barhaol ar ei hwyneb. Ni allai fod yn llun llonydd. Byddai ei bysedd yn dragwyddol aflonydd, yn gwibio fel gloÿnnod byw wrth iddi wau, brodio, gwnïo neu bletio'i ffedog. Ni fyddai chwaith yn llun mud. Byddai ganddi lais clir, parablus, yn canu emynau byth a hefyd. Byddai'n gwisgo sgidiau duon â byclau wrth iddi gamu'n ysgafndroed o gwmpas y tŷ, ei gwadnau'n clip-clopian yn stacato ar y cerrig gleision ar lawr y pantri. Byddai gen i hyd yn oed enw ar ei chyfer: Jên Williams.

Daw'r darlun imi'n hawdd gan nad darlun gwneud mohono. Jên Williams oedd fy mam-gu. Ie, hi oedd Mam-gu Ffair-rhos. Yn wir, hi oedd fy unig fam-gu. Welais i erioed mo Mam-gu Tŷ Newydd, sef mam Nhad, nac ychwaith yr un o'm dau dad-cu. Roedd Mam-gu Ffair-rhos yn gwneud iawn am absenoldeb y tri arall. Roedd hi'n llond ei byd, yn llond fy myd innau.

Mam-gu Ffair-rhos gyda rhai o'i phlant (fy mam wrth ei hochr)

Mae dweud fod Jên Williams yn fenyw arbennig fel dweud fod Pavarotti'n ganwr bach net, neu fod Einstein yn un bach da am wneud syms. Yn wir, roedd hi'n fenyw a hanner. Câi ei disgrifio fel Brenhines Ffair-rhos, a hynny ymhell cyn iddi gyrraedd ei chanmlwydd. Doedd ei breintio â'r fath enw ddim yn ormodiaith o gwbl. Teyrnasai ar ei haelwyd â llaw dyner, ond cadarn. Ati hi yr âi'r cymdogion am gyngor neu am air o gyd-ymdeimlad. Fel bydwraig y fro, hi ddaeth â dwsinau o blant ucheldir Ffair-rhos i'r byd. Ac o wneud hynny, nid anghofiodd erioed enw'r un ohonynt hyd ddiwedd ei hoes faith. Ei phlant hi oedd pob un ohonynt, ond bu farw llawer ohonynt o'i blaen.

Mae gan y Prifardd a'r cyn-Archdderwydd W. J. Gruffydd ddamcaniaeth ddiddorol am Ffair-rhos. Yno, meddai, roedd cymdeithas fatriarchaidd wedi bodoli am flynyddoedd. Fyddai neb yn cyfeirio at y tai yn ôl eu henwau. Yn hytrach, cyfeirid atynt yn ôl enwau'r penteuluoedd a drigai ynddynt, a'r rheiny bron yn ddieithriad yn fenywod. Dyna i chi Dŷ Jên Olfir, Tŷ Mari Jones, Tŷ Jên Tomos, Tŷ Marged Huws a Thŷ Jên Williams, a llawer mwy. Roedd iddyn nhw enwau go iawn – Blaenpentre oedd enw cartref Jên Olfir, Rose Cottage 1 a Rose Cottage 2 oedd cartrefi Mari Jones a Jên Tomos, Tŷ Canol oedd cartref Marged Huws, a Thŷ Cefen – yn swyddogol – oedd tŷ Jên Williams. Eithriadau oedd Tŷ Tomos (sef gweithdy'r crydd) a Thŷ Capten (sef cartref Capten Williams, rheolwr y gwaith mwyngloddio plwm yn Esgair-mwyn).

Pam yr arferiad hwn, felly? Cred WJ i hyn ddigwydd wedi i lawer o'r gwragedd gael eu gadael i godi eu teuluoedd yn absenoldeb eu gwŷr a oedd wedi gorfod ymfudo i chwilio am waith yn y Sowth. Menywod, felly, fyddai'n rheoli ar aelwydydd Ffair-rhos yn hytrach na dynion. A châi eu cartrefi eu henwi ar eu hôl.

Mam-gu, yn sicr, oedd yn rheoli ar aelwyd Tŷ Cefen. Gan iddi fyw hyd at drothwy ei chant a dwy, roedd Mam-gu'n ddolen gyswllt rhwng yr hen fyd a'r byd modern.

Ganwyd hi ar 16 Mehefin 1862, blwyddyn Araith Rhyddid y Caethweision gan Abraham Lincoln. Roedd hi'n bedair ar ddeg oed pan ddaeth Fictoria'n Ymerodres India. Roedd hi ychydig dros ei deugain adeg Diwygiad 1904/05, ac yn ddwy flynedd dros ei hanner cant pan dorrodd y Rhyfel Mawr, y danchwa a ddygodd un o'i meibion, 'Dai'r crwt', yn bedair ar bymtheg oed. Yn ystod ei hoes faith gwelodd ethol wyth ar hugain o Brif Weinidogion Prydeinig, rai ohonynt fwy nag unwaith, o Palmerston i Harold Wilson.

Yng Nglan-brennig, Tregaron, y ganed hi. Ni chafodd gymaint ag awr o addysg ffurfiol. Ei hunig wersi fu'r rheiny a gafodd yn yr ysgol Sul yn ysgoldy Rhiwdywyll, addoldy'r Methodistiaid uwchlaw Cwm Berwyn. Weithiau hefyd câi wersi gan athro gwerinol, John Davies, a ddysgai yn yr awyr agored yn y priffyrdd a'r caeau. Er gwaethaf hyn, medrai ddarllen yn hawdd yn Gymraeg ac yn Saesneg. Yn ferch ifanc, mewn cyfnod pan na fyddai dewis gan rywun o'i dosbarth a'i chefndir hi ond gweithio fel morwyn, aeth ati i ddysgu'i hun i fod yn fydwraig, neu 'midwiff', fel y dywedai hi.

Capel Bwlch-gwynt oedd prif addoldy'r teulu, a chofiai am weinidog o Langeitho – rhyw Mr Roberts – yn parablu'n ddi-baid am Iesu wrth ddosbarthu elfennau'r cymun. Cofiai am ei mam yn mynychu'r oedfaon mewn het groen afanc tra byddai'r gweinidog yn ei het sidan, a honno wedi'i haddurno ag ysnoden ddu ar ddydd galar.

Cofiai weld tai unnos yn cael eu codi ar fynydd Tregaron. Roedd a wnelo hen ddyn creulon oedd yn byw yn Nhangopa ar Graig Pantsiriff ag un tŷ unnos, meddai. Roedd Jên a'r plant eraill yn eu gwelyau un noson pan glywson nhw sŵn a symud yn y tŷ. 'Fe godon ni'n dawel bach i bipo drwy gil y drws, a beth welen ni ond lot o ddynion yn mynd a dod, a mam yn gwneud bwyd iddyn nhw,' meddai hi. Trannoeth, gyda'r wawr, fe ddanfonodd eu mam nhw i fyny i Lidiart-y-Mynydd, lle gwelson nhw dŷ wedi'i godi yno'r noson cynt. 'Dyna lle ro'dd twr o bobol yn sefyll rownd i dŷ bychan wedi'i godi â cherrig ac ambell glotshen a thywarchen, a'r mwg yn dechre dod mas o'r shime. A dyna'r hen ddyn cas o Bantshiri yn

11

dod ac yn bwrw ati i dreio tynnu'r tŷ lawr, ond chafodd e fawr o le na chyfle achos o'dd e'n rhy ddiweddar, a'r mwg wedi codi. Fe fagodd y fenyw fach a'i gŵr ddeg o blant yno.'

Cofiai ddigwyddiad arall tebyg. 'Roedd hen fenyw a'i mab wedi perchnogi pishyn o dir at dŷ unnos. Y peth oedden nhw'n neud i ennill tipyn o dir y Brenin o'dd tynnu arad rownd i'r darn tir. Betsi Boc a'i mab oedden nhw, a phan glywodd rhai o'r gwŷr mowr bod hi wedi torri'r gŵys, dyma nhw'n mynd lan yn dorf i roi'r glotshen 'nôl, cyn 'i bod hi'n codi'r clawdd ar y gŵys. Ond fe drechodd yr hen Betsi Boc nhw'n lân: beth nath hi ond eistedd ar gornel y glotshen a fe ballodd symud o'r fan. Hi o'dd pia fe wedyn.'

Cofiai am goelion ac ofergoelion y fro, am y Toili a'r Gannwyll Gorff, am y gallu i reibio, ac i wella clefyd y galon drwy fesur edau wlân. Roedden nhw'n elfennau o fywyd bob dydd. Cofiai weld priodas, a phawb ar geffylau, yn dod i lawr o Soar-y-mynydd i Dregaron, a rhywun o'r enw Twm yn ceisio cipio merch Llwyngaru o flaen y priodfab ond yn disgyn yn lletchwith oddi ar ei farch ac yn torri ei goes. Cofiai am y brecwastau priodas yn y bore, y neithior yn y prynhawn a'r arfer o roi arian, sef 'y pwython', mewn basn ar y bwrdd. Wedyn, meddai, fe fyddai meddwi, 'nes nad o'dd dim tro'd tanyn nhw'.

Yfodd hi ddim diod feddwol at ddiben mwynhad erioed. Ond yn ei blynyddoedd olaf, cadwai botelaid o sieri wrth erchwyn ei gwely 'at ddibenion meddygol', fel yr hoffai ddweud. Yn wir, byddai'n gadarn yn erbyn y ddiod feddwol. Roedd yn gwneud i bobol ymddwyn yn wirion. Cofiai gerdded un diwrnod i Ffair Gŵyl y Grog ym mhentre'r Bont, gydag un o'r plant yn ei chôl, a'r lle yn dawel fel y bedd. ' "Hawyr bach," mynte fi, "be sy'n bod?" Ac ar hynny, dyma fi'n gweld dyn yn dod i'n herbyn ni â'i ddwy law ar lan ond yn gwneud dim byd. "Beth sy'n bod?" mynte fi. Dim gair ond rhedeg tua'r mynydd fel rhywbeth a cholled arno fe. Dim hat am ei ben e na dim. Pan es i ben y bont fe weles i ddynion fanny yn cario dyn i mewn i'r Red Leion yn waed i gyd, a'r dyn weles i'n rhedeg bant o'dd wedi'i daro fe ar 'i ben â ffon fowr.'

Soniai am y cyfnod hwnnw fel cyfnod 'rwff iawn'. A chredai fod plant ei blynyddoedd olaf yn llawer gwell na phlant ei chenhedlaeth hi. 'Roedd mynd mowr ar grefydd bryd hynny,' meddai, 'ond roedd mynd mowr ar feddwi hefyd.' Cofiai'r cyfnod pan oedd gwaith dŵr Rhaeadr Gwy ar ei anterth. Byddai arni ofn gweld nos Sadwrn yn dod oherwydd y meddwi yn nhafarn y Cross Inn yn Ffair-rhos, ac ymladd yn mynd ymlaen tan hanner nos. Ond fe ddaeth pethe'n well gyda'r Diwygiad, meddai.

Trodd yn Fedyddwraig wedi iddi briodi Tad-cu, a symud i fyw i Dŷ Cefen, Ffair-rhos, yn bedair ar hugain oed. Bryd hynny, bythynnod to gwellt oedd y tai i gyd. Ymhyfrydai mewn sôn am grasu bara yn y ffwrn wal, am y tanau mawn, a hithau'n cario'r tyweirch ar ei chefn o'r rhos wedi iddi helpu'r dynion i'w taenu ar y lan i sychu. Cododd ei phlant ar uwd a llaeth ac ambell hogen – sef torth fflat wedi'i chrasu ar y ffreipan. Hyn oll ar gyflog ei gŵr o chweugain yr wythnos. Yno y trigai am drichwarter canrif cyn symud i fyw i Lambed at un o'i merched, a hithau'n naw deg naw mlwydd oed.

13

Torrwr cerrig ar gyfer trwsio'r ffordd fawr oedd Ifan Williams, fy nhad-cu. Ganwyd iddynt un ar ddeg o blant. Collwyd un ohonynt, Anti Magi, yn ferch ifanc ar enedigaeth plentyn. Ond colli 'Dai'r crwt' oedd yr ergyd fawr. Roedd Wncwl Dai'n athro ysgol Sul yng Nghaersalem pan anfonwyd ef i uffern y Rhyfel Mawr. Yn ôl yr hanes, fe'i gyrrwyd i'r ffrynt ger Béthune yn Ffrainc fel cosb am fod ychydig yn hwyr yn dychwelyd o'i *leave*.

Cyhoeddwyd ar 11 Ebrill 1918 fod Dai ar goll. Canfuwyd ei gorff chwe mis yn ddiweddarach a chladdwyd ei weddillion ym mynwent filwrol Le Hamel. Cynhaliwyd cyfarfod coffa iddo yng Nghapel Carmel yn y Bont. Ar y daflen cynhwyswyd adnod drawiadol o Lyfr Job 3:25: 'Canys yr hyn a fawr ofnais a ddaeth arnaf, a'r hyn a arswydais a ddigwyddodd i mi.' Crogai llun ohono mewn ffrâm ddu ym mharlwr Tŷ Cefen, ac eisteddais droeon ar soffa ger y tân ac arni'r geiriau 'Ich Dien', dodrefnyn a gafodd Mam-gu'n gyfnewid am farwolaeth 'Dai'r crwt'.

Y cof cliriaf sydd gen i ohoni yw ei gweld hi'n eistedd wrth fwrdd y gegin yn darllen y Beibl, a hithau ymhell yn ei nawdegau, a hynny heb gymorth sbectol. Cofiai dalpiau sylweddol ohono ar ei chof. A hithau'n naw deg chwech oed, recordiwyd hi ar gyfer rhyw raglen radio'n canu 'Y Gŵr wrth Ffynnon Jacob'.

Cofiai'n dda am effaith y Diwygiad ar y fro. Bu mewn cyfarfod gweddi awyr agored i fyny ar y llethrau'n gwrando ar y cenhadwr W. R. James yn gweddïo. Cofiai gymdogion yn profi tröedigaeth ac yn cael eu trochi mewn nentydd cyfagos. Gwelodd feddwon yn sobri ac yn edifarhau.

Roedd yna reswm da dros ei galw'n Frenhines Ffair-rhos. Yn 1953, pan ddaeth y cyflenwad dŵr i dai'r pentref, hi gafodd y fraint o agor y tap cyntaf, gan roi diwedd ar y defnydd o'r hen bwmp dŵr cymdeithasol. Wyth mlynedd yn ddiweddarach, hi a ddewiswyd i agor Neuadd Pantyfedwen, cynllun a ariannwyd gan y miliwnydd Syr David James i lawr yn y Bont.

Cyn i mi adael i fynd i'r coleg ym mis Medi 1958, fe alwodd Mam-gu. Roedd ganddi rodd i mi, sef Beibl. Roedd Magi, un o'm chwiorydd, yn giamstar ar ysgrifennu cain, a gofynnodd Mam-gu iddi dorri cymal o adnod y tu mewn i'r clawr. Mam-gu ddewisodd y cymal, allan o Lyfr y Pregethwr 11:1: 'Cofia yn awr dy Greawdwr yn nyddiau dy ieuenctid.' Wnaeth hi ddim ychwanegu 'cyn dyfod y dyddiau blin, a nesáu o'r blynyddoedd yn y rhai y dywedi, Nid oes i mi ddim diddanwch ynddynt'. Mae Beibl Mam-gu gen i o hyd. A do, fe wnes i'n llawen – yn llawer rhy lawen o ran fy lles fy hun.

Bu farw Tad-cu yn 1934, ond ymlaen yr aeth Mam-gu. Ac ar wahân i'r darlun hwnnw ohoni'n darllen y Beibl ar fwrdd y gegin, y darlun arall ohoni a fyn oedi yn fy nghof yw hwnnw ohoni'n cerdded. Hyd ymhell yn ei hwythdegau, cerddai'n aml y filltir i lawr i Garmel a'r filltir serth yn ôl ar y Sul ar bob tywydd. Roedd hi mor ystwyth â maneg. A chanai wrth iddi gerdded. Emyn bob tro.

Antur bob amser fyddai cael ymweld â Thŷ Cefen. Byddai'n ddwy filltir o gerdded – i lawr drwy bentre'r Bont, i fyny heibio i'r ysgol, cyrraedd y Llidiart Haearn (yr union fan lle byddai'r tywydd yn newid, yn ôl Jac Fagwyr-wen) heibio i Fwlch-y-gwynt. Ac yna dilyn y

'Dôn-y-Botel daith i sgwâr Ffair-rhos', ymlaen heibio'r pwmp dŵr – a byddwn yno. Cyflymu ar hyd llwybr yr ardd. Gardd Mam-gu oedd gardd Eden i mi. Byddai'n llawn lliw ac arogleuon blodau a pherlysiau. Byddai gardd Tomos y Crydd drws nesa fel diffeithwch o'i chymharu â gardd Tŷ Cefen. Unig ogoniant gardd Tomos oedd riwbob, a'r rheiny mor dal â phalmwydd.

Yna fe ymddangosai Mam-gu yn ffrâm y drws, â ffedog wen dros ffrog ddu, a chawn gamu i dywyllwch claear y tŷ a drachtio lemonêd a chnoi afal. A thra byddai'r ymwelwyr eraill yn sgwrsio â Mam-gu ac Anti Jên – neu 'Jên Fach' – cawn fynd i'r parlwr i syllu ar ddau lun: *Y Ffordd Gul a'r Ffordd Lydan*, a *Taith y Pererin*. A llun Wncwl Dai, wrth gwrs.

Oedd, roedd Jên Williams yn gant namyn un yn gadael yr hen le. Bûm yn meddwl droeon am ei theimladau wrth iddi adael aelwyd lle bu'n teyrnasu am drichwarter canrif. A wnaeth hi, tybed, fel gwraig Lot, gael ei themtio i droi'n ôl i edrych dros ei hysgwydd am y tro olaf? Ar ddiwrnod ei phen-blwydd yn gant, cyflwynais iddi ddarlun a beintiais o Dŷ Cefen, fel y byddai'r hen gartref gyda hi am weddill ei dyddiau.

Yn y llun mae'r tŷ'n wyngalchog fel yr oedd e gynt, ac mae blodau lond yr ardd. Heddiw mae'r tŷ'n las ac mae iddo ddau lawr, ac mae'r berth wedi tyfu'n wyllt fel na fedraf weld yr ardd.

Bu farw Mam-gu Ffair-rhos ar 19 Mawrth 1964 yng nghartref Anti Sarah yn Llambed. Cyfuniad o niwmonia ac effaith gorfod treulio cymaint o amser yn y gwely wnaeth ei lladd, yn ôl ei thystysgrif marwolaeth. Ond fy marn i yw mai blinder wnaeth ei gorchfygu hi yn y diwedd. Nid blinder corfforol. Wedi laru oedd hi ar fyd oedd wedi dieithrio a chilio oddi wrthi hi a'i gwerthoedd syml. Roedd hi'n bererin mewn anial dir. Beth bynnag, roedd hi'n hen bryd iddi ailymuno â 'Dai'r crwt'.

Gelwir Ffair-rhos yn 'bentre'r beirdd'. Bu Mam-gu'n destun cerddi i feirdd y fro – W. J. Gruffydd, Dafydd Jones, Ifan Jenkins a Jac Oliver. I lawr yng ngwaelod y sir fe ganodd Dic Jones yntau gerdd annwyl iawn i hen wraig o'r enw Ellen Ann. Cerddai honno yn ôl ac ymlaen i'r capel deirgwaith y Sul, heb sôn am gerdded i seiat a chwrdd gweddi. Mae cerdd Dic yn gorffen gyda'r pennill hwn:

> 'O fryniau Caersalem ceir gweled'
> Y drafael i gyd, medde nhw,
> Mae yna un bellach a'i cerddodd
> Bob llathen, mi gymraf fy llw.

Newidiwch enw Ellen Ann am un Jên Williams, a dyna i chi ddarlun perffaith o Mam-gu Ffair-rhos.

Yn y gornel

Meg Elis

Yn y misoedd gwallgof wedi i mi droi Mam yn nain – un
o'r adegau prin hynny pan nad oedd llawer arall y gallai
rhywun ei wneud, ar brydiau, ond darllen – dwi'n cofio
teimlo'n flin ac yn ddryslyd.

Blin am i mi ddarllen rhywbeth dwl, ac amser rhywun
mor brin. Dryslyd hefyd am nad oeddwn i'n dallt, ddim
yn dirnad, ddim yn adnabod y greadures hon oedd gan
yr awdur dan sylw. Ac achos y dicter a'r dryswch yma?
'Nain yn y gornel.'

Rydan ni'n sôn am ddeng mlynedd ar hugain yn ôl.
Ddim yn union oes yr arth a'r blaidd, ac mi 'lasech
feddwl fod cysyniad y 'nain yn y gornel' dipyn bach yn
henffasiwn hyd yn oed bryd hynny. Doedd Mam, y Nain
newydd, yn sicr ddim yn ffitio i'r darlun hwnnw. Ond
am mai mam newydd oeddwn innau (ac o'r herwydd,
wrth reswm, wedi llwyr ymlâdd y rhan fwyaf o'r amser),
wnes i ddim gwrthryfela, a cheisiais fod yn drugarog.
Rhowch fis neu ddau iddi, meddyliwn, a hwyrach y
bydd Mam/Nain yn newid o gyd-olygu'r papur bro,
sgwennu erthyglau ac adolygiadau, picio i fyny i'r
Llyfrgell Genedlaethol, a bwrw ymlaen â'i hymchwil oes
i'r Hen Bersoniaid Llengar. Ella y *bydd* hi'n troi yn Nain
Go Iawn, ac yn eistedd yn y gornel?

Doeddwn i ddim wir yn coelio hynny'r adeg honno, ac yr oeddwn i'n iawn. Dwi ddim yn synnu, chwaith: sbïwch ar ei phatrwm, ei nain hi (sef fy hen nain i), ac mi ddaw'r darlun yn gliriach. Honno oedd patrwm 'nain yn y gornel', siŵr o fod. Gwraig a aned yn y Gymru wledig yn y 1860au – fedrwch chi ei nabod hi yn y llun, yn ei gwisg ddu, yn eistedd yn y gornel? Ella'n wir. Ond dwi ddim yn meddwl y basa hi ei hun – y wraig fusnes, dynes y siop *ironmonger*, dynes yr ardd, y wraig ymarferol (roedd yn gas ganddi dynnu llwch, cofia fy mam) – yn adnabod y llun.

Fe wyddwn nad oedd fy mam innau'n ffitio'r patrwm ystrydebol hwn, a dywedai hanes fy nheulu wrtha i mai patrwm ffug ydoedd, hyd yn oed yng nghyfnod lluniau sepia fy hen nain.

A merch fy hen nain, wedyn – fy nain innau? Fyddai hanes unrhyw beth yn ei bywyd hi ddim yn syndod i mi, chwaith. Heblaw, efallai, ei gweld yn eistedd yn y gornel.

Torth newydd ei phobi ganddi ar fwrdd ei chegin: dyna welodd y wraig cymorth cartref pan alwodd draw y bore hwnnw, a gweld bod Nain wedi dioddef strôc. Y strôc, nid y dorth, oedd y sioc i mi. Dim byd yn od fod dynes chwech a phedwar ugain yn pobi ei bara ei hun – Nain oedd hi, 'de? Ac wrth weithio fy ffordd yn ôl ar hyd ei bywyd – dirwyn y ffilm yn ôl, fel petai – patrwm felly ddaw i'r amlwg, yn sicr yn ôl a gofia i . . .

Cofio Nain ar ei gwyliau. A hithau'n byw ger Harlech erbyn hyn, mi fuasai Bermo yn lle reit braf i fynd iddo am wyliau, 'basa? I Berlin (cyn dymchwel y mur) yr aeth

Nain. Arth fach ddu yn anrheg; y clocsiau pren o Amsterdam sydd gen i byth – dipyn mwy cyffrous na 'A Present from Barmouth', ddywedwn i. Ond roedd gwyliau yn Harlech yn hwyl, fel yr oedd y daith yn hen gar Morris Nain i lawr i'r dre – ia, wrth gwrs mai Nain oedd yn dreifio: roedd hi wedi bod yn gyrru car yn ystod y Rhyfel, 'doedd? Mae dweud hynny'n awgrymu gyrfa gyffrous yn un o'r Lluoedd, ac un o'm hoff luniau i o Nain yw hwnnw ohoni mewn lifrai. Ond lifrai'r WVS yw'r wisg, ac er y gwn o'r gorau i'w rhyfel hithau fod yn gyfnod dirdynnol, gyrru'r car o gwmpas y plwyf, nid maes y gad, yr oedd hi. Ia, y plwyf – am mai gwraig y ficer oedd hi.

Tipyn o faes y gad, wedi'r cyfan, erbyn meddwl, fuasai Llangelynnin yn Nyffryn Conwy. Yn ychwanegol at ddyletswyddau disgwyliedig ciwrat answyddogol a gweithwraig gymdeithasol (ddi-dâl), dyna ichi'r trefnu a'r mynd o gwmpas cartrefi i hel pres at y *war effort*. Pawb yn ei nabod hi, hithau'n eu nabod nhw, ac yn bwysicach, yn siarad Cymraeg. Nid pob gwraig ficer oedd yn gwneud hynny, cofiwch, ond roedd y peth yn hollol naturiol i Nain. Yr un mor naturiol, mi sylweddolais wedyn, oedd ei llythyrau Saesneg at Mam a'm modryb, er na freuddwydien nhw siarad dim ond Cymraeg gyda'i gilydd; melltith system na roesai fri o gwbl ar famiaith Nain pan oedd hi yn yr ysgol. Ond felly yr oedd pethau. Ac felly yr oedd hithau'n mynd o gwmpas tai'r ardal – yn swyddogol i weld a oeddan nhw'n addas ar gyfer yr efaciwîs, yn answyddogol yn meddwl tybed oedd yr efaciwîs yn addas i'r tai . . . Hyn oll gydag un ferch yn byw yn Lerpwl, un arall ar gyrion Llundain, a dau fab yn y Dwyrain Pell. I Langelynnin y bydda innau'n mynd weithiau, at ei bedd hi a Taid, y bedd sydd ac enw Yncl William arno hefyd – yr un na ddychwelodd o'r Dwyrain Pell.

Fedra i ddim cofio'n iawn ai yn Llangelynnin ynteu yn Llanfrothen, plwyf blaenorol Taid, yr oedd y ficer newydd yn ceisio cael pobl i ymgymryd â'r myrdd gwahanol dasgau sy'n codi mewn plwyf. Ac yntau'n holi am ba bynnag dasg, boed yn chwarae'r organ, rhedeg Undeb y Mamau, trefnu blodau'r eglwys, cynnal rhyw ddosbarth, annerch, beth bynnag – yr un fyddai'r ateb: 'Mrs Headley oedd yn arfer gwneud hynna.' Amser iddi hi'i hun? Digon prin, 'laswn i feddwl, ac eto, roedd ganddi ddawn artistig. Rydw i'n ei chofio hi'n mynd i ddosbarthiadau arlunio yn Harlech tua diwedd ei hoes, yn cofio'i dyfrlliwiau cain. A dyna'i medr gyda'i dwylo: y wniadwraig oedd yn gwneud ei dillad ei hun ac eraill. Mi ddaliais ryw arlliw o wrthryfel unwaith, hefyd, pan soniodd Mam am ei hymateb pan oedd dosbarth wedi cychwyn yn y plwyf i ddysgu gwaith crydd, sut i wneud a thrwsio esgidiau, a rhywun wedi gofyn a hoffai Nain fynd yno:

'Na, dwi ddim yn meddwl; os dysga i, mi fydd yn rhaid i mi *wneud* wedyn, yn bydd.'

Chwarae teg, roedd hi'n haeddu tipyn o hoe . . .

Roedd hi'n gorfod bod yn bopeth i bawb yn y plwyf, a theulu'r Ficerdy yn rhwym o gyfrannu at bob achos yn y pentref (hyd yn oed y capel, yn ôl beth ddalltais i). Roedd y Ficer yn rhywun o bwys mewn cymdeithas bryd hynny, er i mi gael yr argraff gref fod a wnelo llawer o waith Nain â thywallt olew lliniarol ar deimladau briwedig yn sgil dull uniongyrchol Taid o'i fynegi ei hun.

Cymerwch, er enghraifft, ei gwestiwn cyntaf i ymwelwyr pan fydden nhw'n cyrraedd i aros: 'Pryd dach chi'n *mynd*?' Mae rhyw syniad gen i mai mater i Nain fyddai esbonio mai cwestiwn hollol ymarferol oedd hwn, i Taid gael gwybod pryd y byddai angen y drol a'r ceffyl i'w cludo i'r orsaf i ddal y trên . . .

Ac ia, y drol a'r ceffyl. Mae'r ffilm wedi dirwyn ymhellach yn ôl erbyn hyn, ac wedi cyrraedd yr amser pan oedd angen y ceffyl i fynd o gwmpas, ac yn sicr i gyrraedd canol y byd lle roedd y fath gyfleuster dinesig â gorsaf drenau – Llanbryn-mair. Ac mae Llanbryn-mair yn sicr yn ganol y byd os Dylife yw eich cartref – pentref y gwaith plwm yn uchelder anial Maldwyn. Mae o'n anial rŵan, pan af heibio yng nghlydwch y car yn yr haf (faswn i ddim yn mentro yno yn y gaeaf). Ond mentro wnaeth Taid a Nain, haf a gaeaf, hyd yn oed pan mai ystyr gaeaf, yn ôl un cofnod yn nyddiadur Taid, oedd eira'n disgyn ym mis Medi.

Mae'n anodd dychmygu byw a gweithio yn y ffasiwn le ar ddechrau'r ugeinfed ganrif, ond dyna wnaeth Nain. A mwy na hynny, yno y ganed Mam, fy modryb a'm hewythrod. Cwestiwn ofynnais i Mam yn ddiweddar oedd 'Sut?' – gan arswydo meddwl am geffyl, neu hyd yn oed drol a cheffyl, yn cario gwraig ifanc feichiog o Ddylife i glydwch cymharol rhywle fel Llanbryn-mair. Ond fel arall y bu hi – nyrs yn dod i fyny i Ddylife, i aros dros gyfnod y geni. Dim ond gobeithio na ofynnodd Taid ar yr adegau hynny, 'Pryd dach chi'n *mynd*?'

Roeddan nhw'n gwneud yn iawn, hefyd, Taid a Nain. A minnau'n didol dyddiaduron Taid yn ddiweddar, dyma ddod ar draws un dyddiadur bychan o'i heiddo hi yng nghanol y bocs, un am 1904. Dyma flwyddyn ei phriodas, ac wrth ddarllen drwyddo roeddwn mewn tipyn o benbleth. Mae hi'n sôn un diwrnod am weld ynghylch ei ffrog briodas, am gael ei llongyfarch ar ei dyweddïad – ac eto, y diwrnod wedyn, ac yn gyson am ddyddiau, dyma grybwyll 'went for a walk with Dick . . . Dick accompanied me home'. Oeddwn i wedi dod ar draws rhyw hanes cudd fan hyn? Wedyn y gwawriodd arna i: Richard – Taid – oedd hwn! Roedd yn ddigon anodd i mi ddychmygu Taid yn cael ei alw'n 'Richard' heb sôn am 'Dick'. Y bwlch oedran rhyngddynt, mae'n debyg, oedd achos hynny – bwlch a barodd gryn siarad, yn ôl pob sôn, yng nghartref Taid, fod yr offeiriad addawol â'i fryd ar briodi 'rhyw ffifflen o'r dre' (Bethesda!).

A dyma ni yn y cychwyn, bron. I eglwys Glan Ogwen, Bethesda, y daeth Taid yn giwrat, ac yr oedd y Margaret Jones ifanc yn un o'i gynulleidfa. Priodi; pâr ifanc o Gymry yn byw ym Methesda ddechrau'r ugeinfed ganrif – hollol werinol a Chymreig, yntê, ac yn gosod fy nheulu ym mhrif ffrwd ein hanes, ac ati ac ati?

Ystyriwch.

Roedd hi'n wraig i giwrat – yn Eglwys Loegr, wrth gwrs, bryd hynny, cyn y Datgysylltiad. Eglwys y meistri, y byddigions – a phwy oedd byddigions Bethesda ym mlynyddoedd cyntaf yr ugeinfed ganrif? Roedd hi'n ddu a gwyn iawn yng nghyfnod Streic y Penrhyn, a dwi'n synnu dim nad atgofion melys oedd gan Nain o'r dref eiconig. Nes at *Un Nos Ola Leuad* na *Chwalfa*, ddeudwn i.

Bethesda, Dylife, Llanfrothen, Llangelynnin, Harlech . . . Ond un hanesyn o Fethesda sy'n aros, rhywbeth y soniodd Nain ei hun wrtha i amdano. Roedd hi wedi mynd at y gof ar ryw berwyl, a hwnnw â cheffyl ifanc, gwyllt, oedd wedi taflu rhai o lanciau'r dref a fu'n ddigon hy i geisio'i farchogaeth. Ddaru Nain ddim dweud beth yn union a'i sbardunodd i drio, ond dyna wnaeth hi – marchogaeth y ceffyl gwyllt, o'r efail ac yn ôl, heb gael ei thaflu. Ac yr oedd yn dal i gofio geiriau'r gof:

'Ma gynnoch chi blwc, Maggie Jones.'

Oedd. I farchogaeth ceffyl, i fagu teulu, i drin plwyfolion, i leddfu briwiau ac i greu celfyddyd. Digon o blwc i wneud popeth ond eistedd yn y gornel. Yn batrwm i Mam – ac i minnau, gobeithio, a minnau fy hun bellach yn nain.

Evelyn Mary Charles Williams

Marged Esli

Am ddeunaw mlynedd cyn mynd i'r coleg, mi fues i'n byw efo fy nain, Jane.

Roedd tair cenhedlaeth ohonom yn byw yno ar y ffarm – Nain, Taid (Esli), Mam (Beti) a Nhad (Hugh); bu farw Esli pan o'n i'n gwta flwydd, a chafodd Tom, fy mrawd, ei eni pan o'n i'n bedair. Dim ond dros y bont i Fangor yr es i i'r coleg, a mynd yn syth wedyn at Gwmni Theatr Cymru ym Mangor. Bu Nain farw ar ôl salwch byr pan o'n i ar daith *Mawredd Mawr*, y panto Cymraeg cynta. Gwrthododd Wilbert Lloyd Roberts roi caniatâd i mi fynd i'w hangladd, gan fod gen i ddau berfformiad y diwrnod hwnnw, fel 'y Gath'.

Bron i ddeugain mlynedd yn ddiweddarach felly, dyma gael y cyfle i neud iawn am fethu â deud 'ffarwél' swyddogol. 'Does gin i laweroedd o atgofion? Ac er mai unig blentyn oedd Mam, mae 'na ddigon o deulu a hen ffrindia a chanddyn nhw straeon amdani . . .

Ond bob tro y byddwn i'n plymio i'm myrdd myfyrdodau, mi fydda 'na lais arall yn 'y mhen i'n mynnu cystadlu: 'Ond be am y nain *arall*? Yr un na chaniataodd trefn amser i chi gael dod i nabod eich gilydd. Be amdani *hi*?'

Ac yn hollol annisgwyl i mi, dyma newid cyfeiriad:

ymroi i fwy o waith ymbalfalu a hel achau, a mynd ar
berwyl mam fy nhad – fy nain o'r tir mawr, Evelyn Mary
(1881–1951).

* * *

Does neb yn ei chofio bellach ac eithrio Mam, a dim ond
am bum mlynedd ola oes Nain oedd hynny. Mae Mam
yn cofio'i charedigrwydd a'i hanwyldeb. Wrth reswm,
ro'n i wedi clywed tipyn amdani hefyd gan fy nhad (a
chan ei chwaer o, Aunty Joan), ac mae 'na ddigon o
lunia ohoni. Bu farw pan o'n i bron yn ddyflwydd;
doedd hi ddim i wbod y byddai hi'n nain i dri arall iau
na fi – David a Marcella (plant ei mab hynaf, David
Penrhyn) a Tom, fy mrawd.

Rydw i'n byw yn y tŷ lle gorffennodd hi ei dyddia. Ella
mai dyna lywiodd fy newis. Cartref syml ei rhieni-yng-
nghyfraith, Huw a Margiad Charles Williams, ydi Hafod

Newydd, Gwalchmai, Ynys Môn. Tipyn gwahanol i Bryn Eirian, y tŷ swmpus a adeiladodd ei thad, David Jones, tra oedd yn rheolwr Banc y Metropolitan yng Nghonwy – heb sôn am Bryn Aethwy, Porthaethwy, ei chartref ar ôl priodi fy nhaid, Thomas. Mae ei modrwy dyweddïo gin i hefyd, ac mi fyddwn i'n arfar pransio o gwmpas yn ei gwisg briodas hi erstalwm, cyn i'r gwyfynod ymosod.

Evelyn Mary oedd yr hynaf o bedwar: tair chwaer a brawd – Enid, Ethel, Arthur Cyril a hitha. Sioc i mi oedd ffendio mai Saesnes oedd ei mam, Margaret Jane Jones. O'n i 'di cymryd yn ganiataol mai Cymraes oedd hi gan mai Prees oedd cyfenw'r teulu, ond na, roedd y rhain yn hanu o Norfolk. Symud i Gymru efo'i waith yn y Customs and Excise ddaru fy hen hen daid! Ar y llaw arall, mae'n bosib olrhain achau David Jones y Banc, tad Nain, yn ôl i ddechra'r ddeunawfed ganrif, heb symud cam o ogledd Cymru. Ond dilyn teulu ei mam ddaru Enid – priodi a magu'i phlant yn Saeson. Di-blant a di-Gymraeg oedd aelwyd Cyril, a di-briod oedd Ethel. Nain oedd yr un a fentrodd ar Gymro Cymraeg – Thomas, un o Charlesiaid Gwalchmai.

Amdano fo y deudodd neb llai nag Ambrose Bebb beth fel hyn yn 1922: 'Bûm yn gwrando ar rai o bregethwyr huotlaf Ffrainc o dro i dro – y Tad Januer a'r Tad Sanson yn y Notre Dame, ond synnwn fwy o lawer at y doniau a roddwyd i T. Charles Williams. O hir ddatblygu traddodiad felly y cyfyd mawredd braidd bob amser, ac y caiff gyfle i aeddfedu a dwyn ffrwyth. Yn ei berson ef, cronnodd y doniau disglair a fu'n araf ymgasglu mewn un teulu.'

Ac mi roedd Taid yn bishyn – ond yn un affwysol o

anodd i'w ddal, yn ôl merched glandeg ei fyrdd oedfaon. 'As stated in the American *Drych*, no-one can "look his part" as can the Rev. Charles Williams, with the full clerical form and figure with which nature has so magnificently endowed him.' Yn y *South Wales Daily News* yn 1909 roedd hynna. Ond roedd gan Evelyn Mary arf unigryw i'w swyno . . . mwy am hynny yn y man!

Yn wahanol i'w brawd a'i dwy chwaer, chymerodd Evelyn ddim swydd ar ôl gorffen ei haddysg. Aeth Enid yn athrawes ac Ethel a Cyril i'r banc. Dwi'n eithaf siŵr mai uchelgais fy nain oedd 'priodi'n dda', a'i galwedigaeth fyddai bod yn wraig gydwybodol, gefnogol. Tydw i ddim, mewn oes o gyfleon tra gwahanol, yn ddilornus ohoni. Ond roedd hi'n strategaeth beryglus – rhoi'r wya i gyd mewn un fasged.

Ym mis Ionawr 1905, fisoedd cyn cyfarfod Taid, roedd Evelyn wedi copïo yn ei llawysgrifen drawiadol, farddoniaeth Ellen Sturgis Hooper. Un o'r beirdd mwyaf galluog o blith y New England Transcendentalists oedd hi; tybed a oedd gan Nain ddiddordeb yn y mudiad hwnnw a oedd yn boblogaidd ar y pryd?

> I slept, and dreamed that life was Beauty;
> I woke, and found that life was Duty.
> Was thy dream then a shadowy lie?
> Toil on, sad heart, courageously,
> And thou shalt find thy dream to be
> A noonday light and truth to thee.

Fe welodd hi a Taid ei gilydd am y tro cynta ganol mis Tachwedd 1905, pan oedd Nain mewn oedfa yng Nghapel Carmel, Conwy, ac ynta'n pregethu ynddi. Er mai mewn gwasanaeth crefyddol yr oeddan nhw, roedd 'na ryw sbarc wedi'i gynnau rhwng y ddau – ond ddim digon i Taid wneud dim ynglŷn â'r peth. Felly penderfynodd Nain, yn eitha eofn, roi hwb i ffawd – doedd hi ddim am gael ei hanghofio! Roedd Taid yn weinidog Capel Mawr Porthaethwy ers 1897, a'i gyfarfodydd cyhoeddus, felly, yn hysbys i bawb. Daeth Evelyn i wbod be oedd patrwm ei deithia trên trwy Gonwy, a chyfaddefodd yn ddireidus sawl gwaith iddi ymuno â'r trên droeon, a rhwng dwy orsaf gwneud yn saff ei bod yn tynnu sylw'r Parchedig a chael sgwrs ag o.

Ond rydw i heddiw yn gwbod rhywbeth na wyddai Nain ar y pryd: roedd Taid wedi nodi yn ei lyfr cyhoeddiada pregethu iddo gyfarfod Nain am y tro cynta ar 16 Tachwedd – a dyma'r unig gofnod yn y flwyddyn honno sy mewn inc coch ganddo, a chroes sws yn y marjin!

A be oedd yr arf unigryw 'ma oedd gen Nain, 'ta? Wel, roedd hi'n gwneud masgara cyn i fasgara erioed gael ei ddyfeisio a'i farchnata! Roedd hi'n cynnau cannwyll dan soser, ac yn cymysgu'r huddugl efo diferyn o *petroleum jelly* i gael blew amranna gloywddu i fframio'i llygaid gwyrddion. Ond hebddi ar daith bregethu yn America yn 1909 y daw'r prawf cynta o'i llwyddiant. Ysgrifennodd Taid yn ei ddyddlyfr: 'MAI 22. Scranton, Pennsylvania . . . cyfarfod y Parch T. Cynonfardd Edwards, D.D. Yr oedd ar gychwyn i Gymru ar gyfer Eisteddfod Llundain . . . Cefais lythyr oddiwrth Evelyn. Llawenheais yn fawr a chysgais yn dda.'

Daeth Thomas adref o America a chyhoeddwyd eu dyweddïad ym mis Chwefror 1910, a dyna ragflas cynhyrfus o fywyd priodasol fuo'r flwyddyn honno i Evelyn. Ar ôl i Thomas fod ar daith bregethu hir drwy dde Cymru, aeth Evelyn i Lundain i weld ei darpar ŵr yn pregethu yng Nghapel Westminster, ac aros yn 11 Downing Street efo Margaret a David Lloyd George. Roedd Taid wedi hen arfer bod ar yr aelwyd honno, ond roedd y cwbwl yn newydd i Nain. Roedd gan fy nhaid feddwl mawr o Margaret Lloyd George, a dyma ysgrifennodd o amdani: 'Un wedi tyfu gyda'i phriod, un yn deall gwleidyddiaeth yn dda, yn wraig o bwyll a chyngor.' O newid gwleidydda i grefydda, a oedd 'na awgrym o ddisgwyliada Taid ei hun o'i ddarpar wraig?

Cafodd y ddau hyd yn oed fynd ar 'daith fodur efo Mr a Mrs Winston Churchill'. A bu'n rhaid picio drws nesa i 10 Downing Street i fenthyg Beibl Saesneg gan H. H. Asquith er mwyn i Taid gael paratoi ei anerchiad i'r City Temple, gan mai dim ond Beibl Cymraeg oedd ar aelwyd rhif 11. Nain bach, dwi'n siŵr i ti rhoi ambell binsiad i ti dy hun.

Priodwyd y ddau gan John Williams, Brynsiencyn, ar ddiwrnod Ffair y Borth 1911 yng nghapel St John Street, Caer. Priodas dawel oedd hi gan fod Thomas newydd gladdu'i dad yng Ngwalchmai. Roedd Nain mewn sgert hir ac iddi wasg fach fach – fawr mwy na f'un i yn modelu'r wisg yn blentyn, siaced dynn o wlân hufen efo lapels euraid, a homar o het. Yn wahanol i mi, roedd Nain yn ddynas dal ac yn medru cario het fawr. Toc wedi'r briodas, ysgrifennodd fy nhaid at un o'i ffrindia agos: 'Rwyf inna yn para i gredu mai "the celibacy of the clergy" yw'r heresi fwyaf damniol fu yn yr Eglwys Gristnogol erioed!' Ac yn y cyfarfod croeso roddodd ei gapel ym Mhorthaethwy i Evelyn, pwysleisiodd fy nhaid mai ei briod oedd hi ac nid ei giwrat!

A dyma Evelyn yn dechrau ar ei swyddogaeth fel gwraig y gweinidog. Teimlai eu bod nhw angen tŷ mwy na'r Graig, Porthaethwy – tŷ'r gweinidog lle roedd Taid yn byw cyn priodi – fel y medren nhw groesawu'r myrdd cyfeillion o'r byd a'r betws mewn steil. Doedd gan fy nhaid ddim pres i brynu'r fath gartref, felly gydag ewyllys da pobol y capel symudwyd i Fryn Aethwy, y tŷ mawr ar y bryn. Roedd y capel yn falch o'i weinidog adnabyddus. Dwi'n cofio fy nain arall, Jane, yn deud bod 'na gryn glecian tafoda a chodi aelia ymysg Methodistiaid Môn pan groesodd lorri ddodrefn lwythog Waring and Gillow, Lerpwl, Bont y Borth a gwagio'i llwyth ym Mryn Aethwy.

Ganwyd eu plentyn cynta, Margaret, ar 15 Hydref 1912, ac yna David Penrhyn ym Mehefin 1914. Roedd Evelyn a Thomas ar ben eu digon.

Ond yna dyma'r Rhyfel Mawr yn dechra. Bu fy nain – bellach yn fam i ddau fach, wrth gwrs – yn allweddol, meddan nhw, i gael fy nhaid i ailystyried cred amryw o grefyddwyr y cyfnod bod y rhyfel hwn yn 'achos cyfiawn', ar waetha'r erchyllltera yng Ngwlad Belg a ferwai ei waed. Agorid drysa Bryn Aethwy i unrhyw un oedd mewn gofid oherwydd effeithia ffiaidd y rhyfel, yn rhieni mewn gwewyr ac yn filwyr oedd ar fin gadael am faes y gad, a'r rhai fuo'n ddigon lwcus i gael dŵad adra. Roedd Nain yn un naturiol groesawgar – yn dda am neud bwyd ac yn cadw ieir yn yr ardd gefn. Ymwelwyr cyson yno fyddai'r milwyr o Wlad Belg oedd yn gwarchod pontydd y Borth a'r Britannia, a buan y daeth eu plant i adrodd eu hadnoda ysgol Sul yn Gymraeg.

Ond roedd 'na ochr ysgafnach i fywyd. Roedd y ddau ohonyn nhw'n dynwyr coes diarhebol. Er enghraifft, dyma'r cyfarchion anfonon nhw at eu cyfaill John Morris Jones, oedd newydd orffen ei gampwaith *A Welsh Grammar*: 'Wedi bod yn pigo'r maeth ohono fel plant yn tynnu *raisins* o bwdin (er na welwn ynddo y Gymraeg am y naill na'r llall). Gobeithio y cewch fyw i orffen y gwaith!'

Yn 1917, cafodd fy Aunty Joan ei geni, yna Nhad, Hugh Cleaton – tin y nyth – yn 1920. Roedd o'n fabi bychan a gwantan, wedi'i eni o flaen ei amser. O'r herwydd, cafodd lawer iawn o fwytha gan ei fam, ac roedd ganddo ynta feddwl mawr ohoni hitha ar hyd ei oes.

Roedd gwahoddiada'n dod yn gyson o'r capeli mawrion i Taid dderbyn galwad i fynd yno: Capel Princes Road, Lerpwl; Capel Carrs Lane, Birmingham, ac ati – a daeth sawl cyfle i ddychwelyd i fywyd academia Rhydychen. Dwi'n meddwl y byddai Nain wedi bod wrth ei bodd efo'r antur o fyw mewn tre fawr, soffistigedig. Roedd hi wedi mynd i'r ysgol yng Nghaer yn ddigon di-lol. A byddai ei mam, Margaret Jane Jones, yn mynnu mynd bob un diwrnod (ar wahân i'r Sul) o Gonwy i brysurdeb masnachol a 'thai te' Llandudno. A sôn am fod yn soffistigedig yn y cyfnod hwnnw – roedd nain yn smocio! Ac yn cario'i sigaréts mewn blwch arian. Smocio o flaen y Parchedig? Wel ia wir, gobeithio. On'd oedd ganddo fynta ei biball? *Gŵr* mygu yw tagu, yn yr achos yma!

Ond ar waetha'r holl deithio a wnaeth fy nhaid, dyn ei filltir sgwâr oedd o, a sir Fôn oedd diwadd pob taith.

Er hynny, fe gafodd Nain ei munuda soffistigedig. Yn gynnar yn eu priodas aeth y ddau ar fordaith i Madeira, ac aros yng ngwesty Reid's Palace, Funchal. *Y* lle ar y pryd. Ar ôl i bawb noswylio, fe ddaeth tenor eofn i serenêdio Nain o dan y balconi heb sylweddoli ei bod ar ei mis mêl!

Gan mai Taid oedd Llywydd y Gymanfa Gyffredinol, cafodd y ddau eu gwadd i briodas Princess Mary a Viscount Lascelles yn Abaty Westminster fis Chwefror 1922. Roedd Princess Mary yn uchel ei pharch oherwydd iddi godi llawer o arian i filwyr y Rhyfel Cyntaf a'u teuluoedd, a'i bod yn nyrsio yn ysbyty Great Ormond Street. Roedd Nain a Taid yn 'morol bod cyfran o'r arian yn cyrraedd teuluoedd haeddiannol Môn, felly nid hobnobio hollol wag oedd hyn i Nain. Ond mi roedd 'na *frisson* o gynnwrf yn yr achlysur iddi. Y dillad! Y pomp! Yr het fawr! Wel, wrth gwrs bod 'na. Roedd Nain wedi prynu het fawr newydd ar gyfer yr achlysur, a be ddudodd fy nhaid pan welodd o hi? 'Evelyn, 'tei di byth i'r Nefoedd yn yr het yna! Deud ma'r pennill "Mae pyrth y Nef o led y pen" – nid o led yr het!'

Clywais droeon pan o'n i'n blentyn fod Evan Roberts y Diwygiwr wedi gofyn i Evelyn fynd am dro i'r goedwig efo fo. Yr adeg honno, doeddwn i ddim yn dallt pam byddai Mam ac Aunty Joan yn chwerthin, na pham fod Aunty Joan yn deud: 'My mother knew straightaway that his intentions were neither spiritual nor constitutional.' Ia, Saesneg fyddai Aunty Joan yn ei siarad – a naddo, wnes i rioed ddallt pam. Ysgol Howells, Dinbych, fyddai'n cael y bai gan Mam. Mi fydda Joan weithia'n mwrdro enwa Cymraeg llefydd hefyd, a Jane (y nain arall) yn deud: 'Feiddiai hi ddim gwneud ffasiwn beth tasa Thomas Charles yn fyw.' Roedd y ddwy nain yn cofio Taid yn llywyddu yn Eisteddfod Genedlaethol Caergybi 1927, ac yn lluchio dartia gwatwarus at 'y Saeson sy'n gwawdio enwau lleoedd yng Nghymraeg, ac yn sôn am "Welsh lock-jaw words". I have this to say to you: there is an excellent train leaving this town daily – Chester first stop. We are not in need of their patronage, their criticism, or their presence.' Cafodd ei ddwrdio yn y wasg am ddeud ei ddeud. Biti na fasa Nain wedi dwrdio Joan yn y tridega a'r pedwardega – erbyn hynny, mae'n debyg nad oedd ganddi mo'r nerth emosiynol i ddwrdio neb.

I Rosneigr y byddai Taid a Nain a'r plant yn mynd ar wylia gan amla. Mae sôn i Nhad gyfarfod fy mam ar y traeth yno pan oeddan nhw'n blant bach iawn, a chwrdd yr ail waith ugain mlynedd yn ddiweddarach.

Yn 1923 teithiodd Nain a Taid i Brifysgol Caeredin, wedi trefnu cyfarfod Winston a Clementine Churchill yno. Roedd Churchill i dderbyn gradd anrhydedd LLD a Taid radd DD, ar yr un diwrnod. Ond Taid gafodd y fraint o draddodi'r diolchiada am y croeso wrth fwrdd y cinio swyddogol. Mae rheswm yn deud bod Nain yn falch drosto fo.

Ond hefyd, erbyn hynny, roedd hi'n poeni am ei iechyd. Ym mis Mai 1924, ar orchymyn y doctor, aeth y ddau i Tenerife, a Taid yn pregethu yn Gibraltar ar y ffordd. Roedd fy nhad yn cofio hiraethu ar eu hola nhw er bod ei fodryb Ethel glên yn aros ym Mryn Aethwy i warchod y plant. Anfonodd Taid gerdyn post unigol i bob un o'r plant, ac un efo llun y llong roeddan nhw'n teithio arni gafodd Dad. Nain, wedyn, yn anfon ei cherdyn hi at ei chwaer gymwynasgar, Ethel.

Roedd Taid wedi cael cyfnoda o iechyd bregus ar hyd ei oes, ac yn cymryd tabledi insiwlin. Ailgydiodd yn egnïol yn ei waith ar ôl dŵad adra – yn yr Alban, Lloegr a Chymru benbaladr, gan orffen gyda darlith yng Nghaerdydd: 'The Law of Liberty.' Ond roedd hen gymyla duon yn dechra hel. Cafodd gynnig taith arall i America, ond rhoddodd Evelyn ei throed i lawr.

Bu Taid farw ym mis Hydref 1927. O fewn chydig dros flwyddyn, roedd Nain wedi colli'i thad a'i gŵr, ac roedd profedigaeth gïaidd arall ar ei ffordd.

Dymuniad fy nhaid oedd angladd bach syml heb anerchiada, ond pan fynnodd David Lloyd George gael bod yno, roedd yn rhaid llacio rhywfaint ar y trefniada. Nain felly'n gorfod ymwroli trwy dri gwasanaeth: yn y Capel Mawr, y Capel Saesneg ac ar lan y bedd yn Llandysilio. Ond croesawu'r cannoedd a wnaeth hi, gan ddiolch bod y tywydd yn braf. Gyda'r nos, wedyn, traddododd John Roberts, Caerdydd, bregeth goffa ar Bont Pegi i'r dyrfa fawr oedd yn gyndyn i fynd adref.

Roedd haelioni pobol mewn cyfnod tlawd at y weddw ddeugain a phump oed a'i phedwar plentyn yn syfrdanol. Sefydlwyd tysteb goffa, a Margaret a David Lloyd George a Miss Davies Treborth yn dosbarthu arian addysg y plant. Roedd David Penrhyn eisoes yn mynd i Ysgol Friars, Bangor, a phenderfynwyd y byddai'n well iddo fod yn *boarder* yno i'w warchod rhag y chwalfa anochel . . .

Roedd yn rhaid symud o Fryn Aethwy. Wedi'r cyfan, brêns oedd gan Taid, nid *brass*.

Roedd Margaret yn mynd yn ddyddiol ar y trên i Ysgol Sir y Merched ym Mangor. Hogan ei thad oedd hi. Roedd adref ar y pnawn Sul tyngedfennol hwnnw pan fuo fo farw, yn annisgwyl, wrth ei ddesg. Rhedodd, yn ei dychryn, nerth ei thraed i lawr i Borthaethwy i nôl y doctor. Roedd Nain yn gobeithio mai effaith y sioc oedd y llesgedd mawr ddaeth wedyn dros ei merch bymtheg oed, ond sylweddolwyd yn fuan fod ei chalon yn wan. A'r teulu'n gorfod symud o Fryn Aethwy, aeth Margaret i orffwyso at ei nain a'i modryb Ethel yng Nghonwy. Diolch i arian tysteb Taid, llwyddwyd i gael arbenigwyr o Lerpwl i ddod i Gonwy i'w gweld droeon, ond marw wnaeth Margaret Evelyn yn ddeunaw oed.

Yng nghanol ei phrofedigaetha mawr, ni sylweddolodd Nain faint oedd baich y gofid wedi sigo David Penrhyn. Gadawodd yr ysgol ym Mangor yn ddirybudd un diwrnod. Cerddodd dros Bont y Borth ac i Fryn Aethwy. Arswydodd o weld y tŷ yn wag. Cafwyd hyd iddo'n gweiddi am ei dad a'i chwaer. Cyfaddefodd Nain droeon y dylsai fod wedi cynnwys David Penrhyn yn y trafodaetha dros y chwalfa. Wedi'r cyfan, roedd o yn ei arddega, a fo oedd y mab hyna. Wrth drio'i amddiffyn, fe grëwyd pellter rhyngddynt a barodd am oes. Pan aeth o i ffwrdd i'r Ail Ryfel Byd, yrrodd o ddim un llythyr i'w fam, a bu raid i Nain gysylltu efo'r War Office i gael gwbod ei fod o wedi dŵad adra'n saff.

O fewn naw mlynedd, gwelodd Nain gladdu'i thad, ei gŵr, ei merch a'i mam. Symudodd efo Nhad yn lojar at gefnder clên a'i wraig bigog yn Hen Golwyn. Ymlaen â hi wedyn am gyfnod at ei chwaer i Fryn Eirian, yr hen gartref, cyn i'w brawd Cyril a'i chwaer Enid fynnu'i werthu. Dechreuodd hithau werthu'i dodrefn fesul tipyn, yn cynnwys desg dderw fy nhaid.

Aeth Nhad i Ysgol Breswyl Rhuthun cyn pasio arholiada'r banc, ac wedyn i'r Rhyfel. Welodd Nain mo'i dau fab am saith mlynedd; daeth y ddau'n ôl wedi'u dyrchafu'n Major a Chapten.

Ar ôl colli'i brawd-yng-nghyfraith, John Charles, yn 1947, a Hafod Newydd felly'n dod yn wag, aeth Nain i fyw yno. Hen lanc, tyddynnwr, darllenwr mawr a diogyn oedd John Charles. Digon ydi deud y buo 'na wythnosa o waith clirio a thrwsio ar y bwthyn yn Gwalchmai.

Roedd 'na hyd yn oed goedan bach wedi dechra tyfu yn llawr pridd y gegin!

Cafodd Mam wadd yno i swpar gin Nain, i'w chyflwyno i'r teulu, fel petai, gan ei bod wedi dechra canlyn Nhad. Roedd Nain wedi gneud slap-yp go iawn, a'r bwrdd wedi'i oleuo â lamp baraffîn. Coron y pryd oedd y treiffl – un o *specialities* Nain. Sylweddolodd neb fod y paraffîn o'r lamp wedi bod yn diferu'n ara bach ar un gongol o'r campwaith yn y ddesgil wydr. A dyna'r gongol gafodd Mam!

Daeth bywyd Nain i ben yn 1951, yn saith deg oed. Fuodd Anti Joan yn ddigon grasol i beidio rhoi'r dyddiad geni ar y garreg fedd – roedd Nain ryw fymryn bach yn hŷn nag oedd hi wedi'i gyfadda, meddan nhw . . .

Annie Meirion

Bethan Gwanas

Roedd Nain – mam fy nhad – yn naw deg pump oed fis Medi 2010, ac mae'n dal i fyw ar ei phen ei hun yn Wern Las, Dolgellau.

Mae hi'n ddigon nerfus am fynd allan bellach gan ei bod wedi dechrau colli ei balans, ac mae arni angen help i lanhau ac i drin rhyw *ulcer* styfnig ar ei choes, ond ar wahân i hynna mae hi'n rêl boi – yn rhyfeddol o annibynnol, yn dal i fod yn gefnsyth a hardd, ac yn meddu ar bâr o goesau mwy siapus na'r un ohonon ni. Mae hi'n poeni ei bod hi wedi dechrau anghofio pethau ond mae ei hymennydd yn dal i weithio'n dda – yn rhy dda! Mae hi'n gwrthod gadael i mi ddweud ambell beth yn yr ysgrif 'ma, ac mae'n styfnig fel mul!

Beryg mai oes o waith caled sydd wedi'i gwneud yn ddynes mor tyff. Roedd hi'n un o saith o blant Dei Tom o Dŷ Nant, Brithdir, ac Annie Edwards, Tŷ Du, Llanuwchllyn. Ffermwyr oedd y teulu i gyd ar y ddwy ochr ond bu'n rhaid i Dei Tom droi at waith chwarel, a byddai'n cerdded dros y mynydd i Aberllefenni bob bore Llun gyda digon o fwyd i bara wythnos. Felly, ei wraig fyddai'n gorfod magu'r plant a gofalu am y tyddyn yn ystod yr wythnos. Dyn ffeind iawn oedd Dei Tom, a byddai'n chwerthin yn aml; byddai hefyd yn hoff o'i beint ac efallai mai dyna pam fod ei wraig yn tueddu i fod yn un am boeni.

Dim ond rhyw dair milltir oedd y daith o Faes-coch, y tyddyn lle magwyd Nain, i'r ysgol yn Nolgellau ond roedd y tair milltir adre i gyd i fyny rhiw! Felly, pan oedd yn ddigon hen i helpu, byddai Annie'n aros yn y dre yn ystod yr wythnos efo'i nain a'i thaid yn y siop gig ym Mhlas-coch, y drws nesa i dafarn yr Unicorn. Cadw lojars fyddai Nain Plas-coch, a rhedeg tŷ bwyta ar ddiwrnod ffair a sêl, ac Annie Meirion yn gweini a hithau bron â marw eisiau mynd i'r ffair ei hun.

Ond ei swydd arferol oedd cario llaeth a wyau i dai gwahanol gwsmeriaid cyn mynd i'r ysgol yn y bore. Wedyn, ar fin nos ac ambell benwythnos, mynd â chig o gwmpas mewn basged fyddai hi, a chario bwyd i'r moch ar fferm ei thaid jest y tu allan i'r dre. Roedd hi'n ddigon hapus ei byd, er bod ei nain yn ddynes go strict. Yr unig ddiwrnod doedd hi ddim yn ei hoffi oedd diwrnod pobi. Byddai'n gorfod cario'r pedair torth fawr roedd ei nain wedi'u paratoi i bopty anferthol siop Mills – 'oedd yn goblyn o job anodd!' Yna, tua naw o'r gloch y nos, yn ôl â hi i ddisgwyl am y pedair torth oedd â llythrennau ei thaid (TE) wedi'u marcio arnyn nhw. Ac roedd hi'n casáu eu cario adre yn waeth byth – am eu bod mor boeth!

Byddai'n hoffi mynd i'r ysgol.

'Ro'n i reit dda am "problems", neu arithmetic, ac mi fyswn i wedi mynd i Ysgol Dr Williams, ond jest cyn yr arholiad mi gafodd Nain Plas-coch strôc, felly bu raid mi adael ysgol i edrych ar ei hôl hi.'

Fel gweddill ei theulu, roedd ganddi lais canu da, a

byddai wrth ei bodd yn mynd i'r Band of Hope am eu bod yn cael dysgu sut i ganu yno. Ond doedd hi ddim mor hapus ar nos Iau gan mai noson seiat oedd honno, ac roedd yn rhaid dysgu adnod a gwrando ar bobl yn trafod pethau dwys.

'Roedd hynny'n fwy o job o lawer.' Dyn efo barf fawr wen fyddai'n traethu, meddai Nain, 'a finna'n dallt fawr ddim oedd o'n ddeud.'

Roedd canu'n bwysig i'r teulu i gyd, a byddai ei rhieni, wedi iddyn nhw ddod i oed, yn mwynhau cystadlu yn erbyn ei gilydd mewn steddfodau lleol. Mae'n debyg mai ei mam fyddai'n ennill bob tro, ond pan gystadlodd y ddau am y tro olaf, roedd ei thad (Dei Tom) yn digwydd nabod y beirniad . . . Gofynnodd iddo wneud cymwynas ag o, a'u rhoi'n gyfartal am unwaith. A dyna ddigwyddodd. Chafodd o byth faddeuant gan ei wraig!

Roedd brawd hynaf Nain, Llew (aeth yn brifathro maes o law), yn ddyn cerddorol, ac roedd Gwen, eu chwaer, hefyd yn soprano dda ond rhoddodd y gorau i ganu ar ôl mynd i nyrsio. Aeth eu brawd Tom i Denver, lle bu'n gweithio mewn *embalming parlour* ac yn canu yn ystod y gwasanaethau. Roedd 'Danny Boy' yn ffefryn, ond cafodd Tom ei ladd pan oedd yn croesi'r ffordd wrth i gar a chwech o ddynion ifanc ynddo fynd drwy olau coch. Bu hynny'n sioc fawr i'r teulu i gyd. Roedd Annie Meirion ar fin rhoi genedigaeth i'w hail blentyn ar y pryd (fy nhad) – 'a dyna pam ddaru ni ei alw fo'n Tom'. Roedd David John (aeth yn blismon i Fae Colwyn) hefyd yn soprano gwych pan oedd yn hogyn, a Clem y brawd ieuenga yn denor go dda. Ac un da am ganu gwerin ('mewn tiwn weithie!') efo'i gyfaill Wili Morus yn y Bermo oedd Robin, y brawd arall.

Soprano oedd Nain hefyd, a byddai'n canu unawdau'n rheolaidd ym mhulpud y Tabernacl yn Nolgellau ac yn cael hwyl ar gystadlu mewn eisteddfodau. Daeth yn ail i ryw 'Madam rhywun o Broughton' un tro, a honno'n gofyn iddi, 'What happened to you on the stage?' – wedi dychryn ar ôl ei chlywed yn y prilím! Ond tueddu i fynd yn nerfus – 'nerfus felltigedig' – ar y llwyfan fyddai Nain.

Ond gyda'r fath bwyslais ar ganu, dim rhyfedd iddi gael ei denu gan faswr ifanc oedd yn canu gyda hi yng nghôr cymysg Defi Rowlands. Dim ond pymtheg oed oedd hi'n ymuno â'r côr, ond mae'n debyg i Llew Evans, Hafod Oer, sylwi arni'n o handi! Yn ara bach, wedi dod i nabod ei gilydd yn ystod ac ar ôl ymarferion ac eisteddfodau, dechreuodd y ddau ganlyn. 'Ond fo ddoth ar 'yn ôl i!'

Morwyn i Dr Huw Jones yng Nghaerffynnon (lle mae'r syrjeri heddiw) oedd Annie ar y pryd. Roedd ganddo gogydd a morwyn, yn ogystal â gwraig . . . bywyd meddygon wedi newid, 'tydi? Byddai'n gwahodd doctoriaid eraill draw i giniawa, a Nain yn tendio arnyn nhw yn ei chap a'i ffedog wen.

Bu'r ddau'n canlyn am bron i bum mlynedd cyn i Taid fentro gofyn am ei llaw. Gan fod ei fam wedi marw pan oedd o'n fabi – ar enedigaeth ei frawd bach, Dei – ei chwaer fawr Gwendolen oedd wedi bod yn gofalu am y ddau, a'u tad, yn Hafod Oer. Ond pan benderfynodd hithau fynd i America, bu'n rhaid cyflogi 'howsgipar'. Flwyddyn neu ddwy wedi iddo golli ei dad, mi gafodd Llew lond bol ar yr howsgipar, a gofyn i Nain:

'Wyt ti'n meddwl y bysat ti'n fy mhriodi i?'

Cytuno wnaeth Annie, ond bu'n tynnu ei goes lawer tro mai 'Howsgipar oeddet ti isio!' Yn sicr, chafodd o rioed reswm i gwyno am ei gwaith tŷ. Welais i erioed ddynes fedrai weithio'n debyg iddi. Roedd hi'n dipyn o job cadw i fyny efo hi.

Diwrnod priodas Annie Meirion a Llew

Yncl Dei oedd y gwas priodas, ond gan ei fod yn hynod swil, roedd yn gwrthod mynd i gapel mawr y Tabernacl ar gyfer y briodas, felly capel bychan yr Annibynwyr yn y Brithdir amdani. Ond Methodist oedd Taid, a bu raid i Nain newid capel ar ôl priodi. Yng Nghefn-y-Maes y cafodd pawb eu bwydo wedi'r gwasanaeth priodas; taid a nain Gerallt Pennant oedd yn byw yno bryd hynny. Doedd dim diod feddwol, wrth gwrs, ac Yncl Wil (Edwards), y canwr penillion oedd un o'r areithwyr, ynghyd ag Yncl Rhys, brawd hynod dal Llew – un a fu'n blismon yn y Bermo am flynyddoedd.

Felly, yn ugain oed, symudodd Annie Meirion i Hafod Oer, y ffermdy bach tywyll sydd ar y chwith wrth i chi deithio o Cross Foxes am Dal-y-llyn (ac ydi, mae'n haeddu'r enw – mae'r gwynt yn chwipio i lawr y cwm yna). Arhosodd Nansi, chwaer arall Llew, gyda nhw am ychydig ddyddiau i ddangos be oedd be iddi cyn mynd yn ôl at ei theulu yn Abergele.

'Ond ro'n i wedi arfer gneud menyn a phobi ac ati efo fy nain, felly mi ddoth petha. Roedden ni'n dlawd felltigedig, ond dyna fo, roedd pawb yn yr un cwch y dyddiau hynny.'

Roedd gan Llew feic, ac ar hwnnw y byddai o a'i wraig ifanc yn teithio i steddfodau ac ati. Ar 'stepen y beic' fyddai Nain, meddai hi – hynny yw, byddai Taid yn eistedd ar y sêt a Nain y tu ôl iddo, ei phen-glin ar y 'stepen' y tu ôl i'r sêt, ei throed arall ar nobyn yr olwyn, a'i dwylo ar ysgwyddau Taid. A deud y gwir, doedd hi ddim am i mi egluro hynna – 'Mae pawb yn gwybod be 'di stepen beic, siŵr!' A na, doedd merched byth yn eistedd ar gefn y beic 'a'u coesau'n danglo bob ochor fel maen nhw heddiw'. Roedd dylanwad Oes Fictoria yn dal yn gryf, felly.

Beth bynnag, cafwyd ambell anffawd gan nad oedd brêcs Taid yn ddibynadwy iawn. Bu'n rhaid iddi neidio oddi ar y beic un tro, ar y ffordd i ddal y trên yn Bontnewydd, a malu ei sanau'n rhacs. Roedd angen chwilio am bâr newydd o sanau cyn mentro i'r cyfarfod pregethu yn y Bala. Ac mae'n siŵr mai hi dalodd amdanyn nhw, gan mai un wedi arfer byw yn gynnil oedd Taid; dim ond hanner coron yr wythnos fyddai o'n ei gael gan ei dad, ac am ei fod o'n smocio Woodbines, fyddai dim llawer ar ôl wedyn.

'Fedra i'm talu drostat ti, wsti . . .' fyddai o'n ei ddweud yn aml. 'Ac roedd o'n dal 'run fath fel doth Tom a Trebor y meibion i weithio, a nhwthe isio cyflog!'

Mi brynodd Annie lwyth o ieir un tro, pan oedd y plant yn fach, a chael haint pan welodd ei meibion yn prysur foddi'r adar yn yr afon. Roedd Tommy Price ar ochr arall y cwm yn gwylio Annie Meirion yn rhedeg nerth ei choesau ar ôl Tom – 'ac mi daliodd o!'

Ym mis Mawrth 1947, symudodd y teulu o Hafod Oer i'r Gwanas – ie, blwyddyn yr eira mawr. 'Aeth hanner defaid Gwanas efo'r dŵr, a'r flwyddyn gynta honno doedd gynnon ni'm ŵyn i'w gwerthu. Ond roedd yn rhaid cadw tri gwas, a thrio byw, a thalu rhent – ar ddim! Roedd o'n fywyd caled, a dydi rhywun yn dal ddim isio gwario hyd heddiw.'

Ond roedd hi'n hapus iawn yn byw yn y Gwanas, er bod y lle gymaint mwy na Hafod Oer.

'Roedd 'na waith di-ben-draw. Ac roedd gen i bedwar o blant erbyn hyn, yn doedd.'

Gwenan oedd yr hynaf, a briododd Jos o Drawsfynydd a symud i Lwyngwril. Yna Tom, fy nhad. Wedyn Trebor, sy'n rhedeg busnes tarmacio, a Rhiannon (Noni) a fu'n nyrsio yng Nghaerdydd cyn symud i America, lle mae'n rhedeg busnes o'r enw Cambrian Homecare ac yn llwyddo i nyrsio Nain dros y ffôn. O, ac mae'r pedwar yn gerddorol.

Mae gan Nain atgofion melys am wrando ar y radio efo'r plant – *SOS Galw Gari Tryfan* ac ati. Ond gwaith oedd yn galw yn hytrach na chwarae; byddai'n gwneud menyn ddwywaith yr wythnos, yn berwi dillad yn y tŷ golchi bob dydd Llun, yn glanhau *brasses* dragwyddol, yn rhwbio stepiau'r drysau gyda pholish sgidiau du nes roedden nhw'n sgleinio, ac, wrth gwrs, roedd cryn angen bwydo. Mae hi'n dal yn wych am wneud cinio dydd Sul, a ches i rioed bwdin reis cystal â'i phwdin hi. Mae Trebor ei mab yn dal i freuddwydio am 'dymplan efo cwstad', sef pwdin siwet efo jam, mafon duon neu afal. Byddai'n mwynhau gwneud cacennau hefyd ond doedd byth amser i wneud pethau ffansi. Ar ddiwrnod cneifio, byddai angen cinio, te (a swper weithiau) i rhyw dri deg o bobol. 'Ac i'r heliwrs y noson cynt.'

Tua 1949 prynodd Taid gar – Vauxhall Velox. Mae Nhad yn dal i gofio'r rhif: END 329. Roedd Llew wrth ei fodd yn ei yrru, ac mi roddodd Annie gynnig arni hefyd. Ond roedd Taid 'yn hoples am fy nysgu i', ac mae'n debyg y bu cryn ffraeo. Methodd y prawf ddwywaith, os nad tair, am ei bod yn rhy nerfus.

Byddai'r ddau'n dal i ganu, a pharlwr y Gwanas oedd man cyfarfod Côr Cwm Hafod Oer, dan arweiniad Yncl John. Roedd hen ddigon o gantorion yn byw yno y dyddiau hynny – cantorion arbennig o dda hefyd. Ymarfer ar gyfer Cyfarfod Bach y Brithdir fydden nhw, neu'r 'Penny Reading' fel y byddai'n cael ei alw bryd hynny. Dydi Nain ddim yn cofio, ond mae gen i gof i rywun ddeud mai Côr Cwm Hafod Oer fyddai'n curo Côr y Brithdir gan amlaf.

Dywedodd rhywun wrtha i un tro eu bod yn cofio

Nain yn canu 'Pistyll y Llan' yn fendigedig yng Nghapel Rhiwspardyn, a bod ei mam mewn cadair olwyn yn crio wrth wrando arni. Pan soniais am hyn wrth Nain, meddai:

'Wel, mi gafodd mam strôc yn chwe deg dau ar y ffordd i briodas Robin, ac mi oedd y dagrau'n dŵad yn hawdd ar ôl hynna.' Na, dydi hi ddim yn gyfforddus efo *compliments*. Bu ei mam mewn cadair am saith mlynedd, ac mae Nain yn cofio'i gwthio hi bob cam o Ben-y-fron (jest o dan Fronolau) i Hafod Oer. Mae hynny'n daith o ryw dair i bedair milltir!

Pan briododd fy rhieni, byw yn y garafán yng nghefn y Gwanas fuon nhw nes ro'n i'n dair, ond does gen i fawr o gof am hynny. Mae'n debyg y byddwn yn codi cyn i neb arall symud i olchi llawr y briws – wel, ei wlychu'n socien, 'ta. Copïo Nain ro'n i, am ei bod hi byth a hefyd yn ei brat yn glanhau. Ond roedd angen mopio wedyn ar fy ôl i . . .

Un da am arddio oedd hi hefyd, er bod angen amynedd pan fyddai ei hwyrion o gwmpas. Tra oedd hi'n gwarchod Llinos, fy chwaer, un tro, bu'n chwynnu tipyn ac yna'n plannu blodau mewn hen deiar. Ugain munud wedyn roedd Llinos wedi tynnu pob un wan jac o'r blodau allan o'r pridd, gan feddwl mai chwyn oedden nhw. Ond does yr un ohonon ni'n cofio gweld Nain yn gwylltio erioed.

Dechreuodd 'gadw fisitors' yn y chwedegau cynnar, ar ôl cael trydan.

'Roedd Gwanas yn fawr, 'doedd, ac roedd isio gneud iws o'r lle. A ges i lwyth o *foreigners*.' Fe wnaeth y trydan wahaniaeth mawr iddi wrth gwrs, 'Ond fues i'n ddigon hir yn cael hwfyr!'

Gyda'r nos, gwnïo fyddai hi, a bu'n dal i drwsio ac altro dillad ar yr hen Singer tan oedd hi yn ei nawdegau cynnar. 'Do'n i ddim yn gweu cymaint, ond dwi'n cofio gweu dwy jympar i'r bois pan oedden nhw'n hogia mawr – rhai melyn. Mi fydden nhw'n mynd lot i *whist-drives* y dyddiau hynny, ac mi sbiodd un dyn yn hurt ar y jympar felen 'ma a deud:

'Dwi newydd chwarae efo chi!'

''Y mrawd i oedd o . . .'

Ond fyddai Taid a hithau byth yn mynd i yrfaoedd chwist. 'Ew, na, doedd o ddim yn beth neis o gwbl.'

Yn 1971, penderfynodd Taid ymddeol a symudodd y ddau i'r dre. Roedd Taid wrth ei fodd efo'u bywyd newydd, hamddenol, ond roedd Nain yn mynd yn hurt. Doedd ganddi ddim digon i'w wneud. Derbyniodd gynnig ei ffrind i'w helpu yng Nghaffi Cwt Gwyn, yn y garej ger Dolgellau lle mae'r Little Chef bellach – dim ond am un haf i fod, ond bu yno am wyth mlynedd o leiaf!

Yn 1983, mentrodd y ddau dros y dŵr am y tro cyntaf yn eu bywydau, i aros efo Rhiannon yn Long Beach, Califfornia, ac roedden nhw wedi mwynhau'u hunain gymaint fel yr aeth y ddau yn ôl yno ddwywaith wedyn. Mae Rhiannon yn cofio sbio drwy'r ffenest a gweld y ddau'n sefyll wrth ochr y ffordd, yn disgwyl am ysbaid yn y traffic iddyn nhw gael croesi am y traeth. Ac roedd y ddau'n dal dwylo. Dyna'r tro cynta iddi weld y ddau'n gwneud ffasiwn beth!

'Dydan ni'm yn deulu swslyd,' chwedl Taid, ond aeth yn un mawr am sws a choflaid wrth iddo fynd yn hŷn.

Aeth Nain drosodd i Long Beach deirgwaith wedyn ar ôl i Taid farw yn 1999, ond dydi hi ddim am fentro yno eto. Er ei bod wedi mwynhau haul a gwres Califfornia, mae o'n bell, a'r dyddiau yma, mae hi'n hapusach yn ei chadair freichiau'n gwylio snwcer a *Pobol y Cwm*. Ac yn bwydo Del, fy ngast goch i, efo darnau o fisgedi Digestive.

Cadi Fflur a'i rhieni gyda'i dwy nain, tair hen nain ac un hen, hen nain (Annie Meirion) â Cadi Fflur ar ei glin

Mae ei ffrindiau agosaf i gyd yn ei gadael fesul un rŵan, ac yn enwedig ers colli ei ffrind penna, Mair Ty'n-sarn, yn gant ac un oed, mae hi wedi dechrau deud ei bod hi'n 'barod i fynd'. Mae'n hawdd deall pam ei bod yn teimlo felly, ond i'w theulu a phawb sy'n ei nabod, mae'n anodd iawn dychmygu bywyd hebddi.

Dwi prin yn cofio fy nain arall, Nain Fron-goch, fu farw pan o'n i'n rhyw bedair oed, ond mae Annie Meirion wedi mwy na gwneud iawn am hynny. Dwi'n gwybod yn iawn 'mod i wedi'i siomi am fy niffyg llais canu – anghofia i byth ei hwyneb hi a Taid yn fy nghlywed yn mwrdro 'Bara Angylion Duw' mewn rhyw steddfod neu'i gilydd yn Neuadd Idris – a dwi'n ymwybodol iawn nad ydi hi'n cael ei phlesio gan y pethau fydda i'n eu sgwennu bob tro, ond ddywedodd hi rioed air o gŵyn na cherydd. Taid – do. Nain – naddo!

Mae hi'n nain, yn hen nain a hyd yn oed yn hen, hen nain bellach, ac wastad wedi bod yn falch o bob un ohonom. A ninnau'n fwy balch byth ohoni hi.

Ei hochr orau

Meleri Wyn James

Ni thynnwyd ei sylw gan y cwpan bach yn y cwpwrdd gwydr yn fwy na'r un arall. Oedd, roedd yr ornament yn dal i eistedd yn grand yn ei soser ac roedd yn firi o liw, fel y byddai rhywun yn ei ddisgwyl gan ei berchennog. Ond gorchwyl yw clirio tŷ mam, gorchwyl digon amhleserus, rhywbeth mae'n rhaid ei wneud, atgofion a galar yn gymysg i gyd. Ac wrth i fy mam inne glir'o tŷ Mam-gu, meddwl am lapio, am roi'r pethe yn y bocs, am gau'r bocs oedd Mam, ac nid am bopeth a oedd ac a fu.

A dyna hi'n cael syrpréis. Meddyliodd iddi ganfod cwpan cyflawn yn y cwpwrdd llestri. Ond hanner cwpan ydoedd, a bod yn fanwl gywir. Hanner cwpan! Wel, i beth o'dd hi 'di cadw shwt beth? A bod yn deg â Mam-gu, fyddech chi ddim yn gwybod mai hanner oedd yno wrth bipo trwy ffenest y drws, achos yr oedd hi, yn ei doethineb, wedi troi'r ochr oedd yn gyfan fel ei bod yn wynebu'r ffrynt.

Gwraig gweinidog

Byddai Mam-gu'n gwisgo ac yn ymddwyn fel un a arferai fod yn ganolbwynt y sylw. Ac yn wir, fe oedd hi wedi arfer â hynny erioed.

Cafodd ei magu ar aelwyd Manllegwyn yn Dre-fach,

Felindre, yn gannwyll llygaid ei thad a'i mam a dwy fodryb a drigai yn y tŷ. Hawdd yw ei dychmygu'n frenhines fach yr aelwyd, yn cael ei pharatoi ar gyfer mawredd. Ac ar ôl priodi fe ddaeth yn ganolbwynt gweithgaredd fel gwraig weinidog yng Nghapel Degwel, Llandudoch; Bethesda, Llangennech; Y Graig, Machynlleth; Sardis, Ystradgynlais – a 'nôl mewn 'u' bedol i Gapel Degwel, Llandudoch.

Fe chwaraeodd ei rhan gydag arddeliad. Menyw dal, siapus a thrwsiadus ydoedd, yn ofalus ei cholur a thywyll ei gwallt. Os mai Dat-cu (neu Dacs i ni) oedd cynrychiolydd Duw, Mam-gu oedd y faneg sidan.

Priododd Sarah Mary Thomas â gweinidog ifanc, golygus a charedig yn David John (DJ) a dod yn rhan o dîm: 'Y Parchedig a Mrs D. J. Thomas'. Yng ngolwg Mam-gu, doedd dim amharch mewn cael eich nabod wrth enw eich gŵr os oedd hynny'n eich dyrchafu chi.

Er mai Lalmai neu Lal oedd hi i'w chymar a'i ffrindiau, Mrs Thomas oedd hi i Nhad bob amser – cyfuniad o barch a drygioni ar ran Dad, ond dwi ddim yn amau nad oedd Mam-gu'n mwynhau'r atgof o ddyddiau da.

Doedd dim ots ganddi ddiosg y faneg a baeddu ei dwylo. Yn gyhoeddus, roedd hi'n chwarae'r organ yn y capel, yn arwain cymdeithas chwiorydd weithgar iawn, yn cyd-redeg y Band of Hope, yn rhoi gwersi piano a helpu gyda gwasanaethau Nadolig a Diolchgarwch. Roedd hi'n rhan o'r gynulleidfa, yn gwrando'n ddi-ffael. Sgwn i faint oedd hi'n ei amsugno, ac i ba raddau roedd ei meddwl ar grwydr?

Roedd llawer o ddyletswyddau cudd a diddiolch hefyd – cadw tŷ, paratoi bwyd, gwneud yn siŵr bod Dacs bob amser yn edrych ei orau. Ond chlywais i erioed mohoni'n cwyno.

Perthynai i genhedlaeth oedd yn dal i gredu y dylai gwraig ofalu am ei gŵr, a châi fy ffeministiaeth gynnar inne a Catrin, fy chwaer, fel gwragedd ifainc y nawdegau ei dawelu gyda 'fforshêm' am awgrymu fel arall. Roedd gwraig gweinidog yn gefn i'w gŵr ac yn y blaen yn y gynulleidfa a thu hwnt. Roedd y ddau yn y weinidogaeth gyda'i gilydd ac ro'n nhw'n dîm dedwydd.

Welais i erioed mohoni'n cenfigennu at statws uwch

Dacs. Yn wir, roedd yn ymhyfrydu ym muddugoliaethau bach bywyd. Gwrandawai'n astud arno'n darllen ac ailddarllen cerdd o'i waith oedd wedi ennill mewn eisteddfod leol neu a fu ar y 'Talwrn', neu emyn a gipiodd wobr genedlaethol.

Ymdoddai eu crefydd i bob rhan o fywyd ac roedd llygaid yr Arglwydd ac Iesu Grist yn gwylio'n oddefgar o'u cysegrfannau ar y wal. O ganlyniad, byddai Catrin a finne'n 'chwarae capel', yn llenwi sêt fawr y soffa yn y parlwr gorau gyda tedis. Pregethai un chwaer o flaen y tân letric tra oedd y llall yn cyfeilio, a'r Baby Grand yn canu'n groch.

Glendid sydd nesaf at dduwioldeb

Roedd Mam-gu'n lanhawraig frwdfrydig. Er ei hoffter o wisgo lan, peth cyffredin oedd ei gweld yn dod at y drws yn chwifio dwster fel baner heddwch. Doedd hi ddim y ddystwraig fwyaf gofalus, a phrin oedd yr ornaments heb dolc o ryw fath.

Roedd hi'n cael modd i fyw o olchi dillad, mae'n rhaid. Ac yntau'n gymydog yn y tŷ drws nesaf iddi, byddai Dad yn rhyfeddu at y rhesi diddiwedd o ddilladach a lenwai'r lein.

'Dim ond un esboniad sy,' meddai. 'Mae'n golchi dillad glân.' Fyddai hynny ddim yn fy synnu, ond wnele hi'm cyfadde dros ei chrogi, cofiwch.

Byddai'n gwneud ei 'thwt' yn y tŷ peth cynta'n y bore, ac ar ôl gorffen ymolchai a newid ei dillad yn barod ar gyfer y fisiters. Dyma fenyw a ymhyfrydai yn ei benyweidd-dra. Gwisgai ffrog neu sgert yn ddiwahân a llond wyneb o golur – *eye-shadow* glas, *rouge*, lipstic coch. Ogleuai'n gryf o'r perffiwm Charlie y byddai Dacs yn ei brynu iddi bob Nadolig. Roedd hefyd yn hael iawn ei defnydd o dalc. Ac am ei thraed, gwisgai sodlau uchel bob tro, achos 'ro'n nhw'n fwy cyfforddus i gered na sgidie fflat'.

Gwneud ei phart, chwarae rôl – ond credaf fod yna ochr arall iddi hefyd, direidi a menter na chafodd gyfle i flodeuo. Gallasai Mam-gu fod yn fenyw wahanol, petai llwybr bywyd wedi'i harwain at hynny. Pwy a ŵyr nad yw hynny'n wir amdanom i gyd? Teulu, ffrindiau, profiadau, gwaith, perthnasau, dyma'r pethau sy'n ein gwneud ni. Hyd yn oed heddiw, pan mae menywod yn fwy rhydd nag y buont erioed, mae amgylchiadau a dewisiadau yn ein caethiwo fwy nag yr ydym yn cyfadde.

Ochr arall y geiniog

Gwn ychydig bach am ei bywyd carwriaethol hi cyn Dacs na rannaf gyda chi yma. Ond dywedaf hyn: pan oeddem yn ein harddegau, câi fenthyg ambell nofel ramant gan Catrin a finne, a phan gafodd fenthyg Jackie Collins i'w ddarllen ar y slei, fuodd hi'm yn hir yn sibrwd,

'Oes un bach arall o rheina 'da ti 'to?'

Chwarddai'n uchel, canai soprano'n frwd a siaradai Saesneg â twang, ond am dystiolaeth o'i hochr ymfflamychol, gweler ei threfniannau blodau. Yr unig bersawr a ddeuai o'r rhain oedd oglau traed, achos fe'u gwneid o weiren a hen neilons lliwgar – ac yn yr wythdegau roedd digon o ddewis o'r rheiny. Dechreuodd eu gwneud yn y 'Centre' yn Ystradgynlais, lle byddai'n helpu oedolion ag anawsterau dysgu, ac ni ddarfu ei hoffter o'r trefniannau hyd yn oed ar ôl iddyn nhw fynd yn bethe henffasiwn rhacs!

Rhaid bod ganddi amynedd i weithio yn y 'Centre' ond roedd yn wyllt wrth reddf. Dyna oedd i gyfri am y clais ar ei llygad pan agorodd ddrws yr atic yn ddi-lol a chael ei tharo gan goes yr ysgol yn hyrddio tuag ati fel roced.

Menywod â thipyn o angerdd yn perthyn iddyn nhw sydd yn ei llinach. Sarah Davies oedd ei hen fam-gu, un o'r criw y dywedir iddynt orymdeithio gyda Jemima Niclas o gwmpas Bryn Pencaer, ger Abergwaun, adeg ymosodiad y Ffrancwyr yn 1797. Wel, beth mae menyw i'w wneud pan mae'r dynion i gyd wedi ymuno â'r fyddin? Eistedd gartre'n gwau sanau?

Wedi'u gwisgo mewn hetiau du uchel a sioliau coch, edrychent fel y *militia* o bell, ac o'u gweld o'r môr, cafodd y Ffrancwyr oedd â'u bryd ar ymosod lond twll o ofan a'i heglu hi adref yn go handi. Dyna un fersiwn o'r stori, beth bynnag, ac mae siol goch Sarah yn y teulu o hyd.

Cywilydd ddaeth i ran hen fodryb Mam-gu ar ôl cael ei dyrchafu'n weinyddes i'r Frenhines Fictoria. Cafodd y sac ar ôl cael ei dal un noson wedi meddwi. Peth pechadurus i fenyw yn yr oes honno. Ond cafwyd llythyr yn nes 'mlaen gan y Frenhines ei hun yn dweud ei bod yn flin iddi orfod ei diswyddo, achos mai hi oedd y weinyddes orau fu ganddi.

Gofal piau . . .
Menyw ofalus ydoedd Mam-gu – gofalus o bobl. Fel pob

un a fu'n fam, credai ei bod yn deall rhywbeth am nyrsio, ac roedd ganddi foddion anarferol i wella anhwylderau. Driais i erioed ei moddion gwella annwyd – gwydraid o laeth gyda chymaint o bupur ynddo ag y gallech chi ddiodde, a llond llwyaid o Vicks – ond clywais sôn amdano lawer gwaith. Gwenaf, ond gwn iddi fod yn fawr iawn ei gofal o Dacs pan oedd e'n marw'n araf o ganser a hynny er nad oedd hi'n fenyw iach ei hun.

Byddai croeso bob amser i mi, 'galiad bach', a chwtsh mawr a chusan wlyb nad oeddwn wastad yn ei chroesawu. Roedd bwyd yn rhan o'r croeso. Nid rhyw frechdan fach shimpil fyddai cinio ond tatws a grefi neu ham a parsli. A lot o bupur. I de, byddai'r llestri gorau'n tincial ar yr hambwrdd – cwpan, soser a llwy de – achos roedd Mam-gu a Dacs yn lico siwgwr yn eu te. Roedd bola Dacs yn dyst i'w ddant melys a gofal Mam-gu. Cacen cartre (na phobwyd gan Mam-gu, ond go brin y byddai'n cyfadde hynny; gallai fod yn gynnil iawn gyda'r gwirionedd) a bishgïen – Taxi, Blue Riband, Tea Cake, Yo-Yo. Danteithion na fyddech yn eu gweld yn unman ond yn nhŷ Dacs a Mam-gu. Sdim ots pa mor llawn oeddech chi, byddai Mam-gu'n gorfodi 'un sleisen fach arall' arnoch – a doedd hi ddim yn gwybod beth oedd sleisen fach.

Gyrru 'mlaen

Hoffai 'waco' a siopa yn nghwmni Jean, partneres o'i chyfnod yn Llangennech. Ac roedd cwmnïaeth Jean yr un mor bwysig â'r siopa ei hun, mae'n rhaid, achos gallai'r ddwy hala trwy'r dydd yn trampan rownd

Abertawe a dod gartre â dim byd amgenach yn y bag na phais.

Byddai Dacs a Mam-gu yn enjoio mynd am *run* bach, Dacs yn gyrru a Mam-gu yn basenjer. Unwaith eto, roedd yn hapus i 'DJ' neu 'Don' gymryd yr awenau. Nid wyf yn siŵr a oedd ganddi leisens ond sa i'n credu y byddai diffyg hwnnw o reidrwydd wedi'i stopio. Diffyg arfer oedd y drwg, a fues i ddim yn y car â hi wrth yr olwyn. Ar wahân i'r un tro hwnnw . . .

Refersio oedd Mam-gu. Trio refersio. Mas o'r garej a lan y dreif yn y Mans yn Ystradgynlais, a Catrin a finne'n ddwy fach yn y cefn – a hynny yn y dyddiau cyn yr angen am *safety belts*. Roedd mwg yn chwydu o'r *exhaust* a sŵn fel rheino'n rhuo yn dod o'r injan. Roedd Catrin yn meddwl ein bod yn mynd i farw. A finne? Ro'n i'n teimlo fel astronot yn barod ar gyfer *take-off*.

Cyfyng yw'ch byd os nad ydych yn gyrru – a sa i'n siŵr pa mor bell y gall rhywun gerdded mewn sodlau. Er ei bod yn ddigon symudol fel gwraig gweinidog – Llandudoch, Llangennech, Machynlleth, Ystradgynlais a Bryngwyn, Castell Newydd Emlyn – cyfyng oedd ei gorwelion. Bodlonai ar fywyd a mân wleidyddiaeth y plwyf. Unwaith y bu Dacs a hithau dramor, ac i Lydaw gyda Dad a Mam oedd hynny. Eu gwyliau oedd yr wythnos flynyddol ar lan y môr yn Ninbych-y-Pysgod gyda Jean ac Alwyn, ei gŵr, a gollodd ei goes mewn damwain beic modur yn yr Ail Ryfel Byd. Nid oedd yn ddarllenwraig frwd ond hoffai'r *Gambo*, *Woman's Weekly* a'r *Tyst* a llenwai oriau hamdden y pnawn yn pori ynddynt, yn cysgu ac yn gwylio'r snwcer ar y teledu.

Câi hwyl mewn ambell ocsiwn leol. Un tro, fe lwyddodd i brynu bwrdd teircoes mahogani yr oedd Dad a'i lygaid arno, a'i gyflwyno iddo'n fuddugoliaethus. Roedd hi'n berson caredig. Ac, yn wir, roedd Dad hefyd yn gwenu ar yr achlysur hwn. Roedd ganddo reswm dros wenu, achos roedd yntau wedi gadael pris ar lyfr yr ocsiwnïer. Pan oedd Mam-gu'n bidio am y bwrdd i Dad, mewn gwirionedd roedd hi'n bidio yn ei erbyn! Wn i ddim pa mor ddoniol fydd y stori hon ar bapur, ond wrth wrando ar Catrin yn ei hailadrodd ro'n i'n chwerthin nes 'mod i'n dost. Fedrith rhywun ddim hel atgofion am Mam-gu heb daro ar stori fydd yn codi gwên. Ond rhyw ddireidi caredig fydd hwnnw, gan wybod y byddai hithau'n chwerthin hefyd.

Roedd hi ar ei phen ei hunan. Ac roedd hynny o ddewis, dwi'n siŵr. Hyd yn oed ar ôl i Dacs ymddeol o Gapel Degwel, Llandudoch, fe gadwodd ei statws, ei harwahanrwydd. Roedd hynny'n amlwg wrth iddi gwrdd â theulu Sion, fy ngŵr, am y tro cyntaf. Roedd taid Sion yn tynnu am ei naw deg ac wedi mynd yn hen ddyn moel ei ben, eiddil ei gorff a gwan ei frest, diolch i'r baco. Yn wir, roedd rhyw ychydig o flynyddoedd yn hŷn na Mam-gu, mae'n siŵr, ond dim mwy na hynny. O'i weld, cymerodd Mam-gu'r awenau a'i arwain at y bwrdd fel petai'n arwain brawd methedig.

'Jiw,' meddai hi wedyn, yn ei llais mwyaf nawddoglyd. 'Mae e'n dda, cofiwch.' Os oedd Mam-gu'n heneiddio, doedd hi ddim am gyfadde hynny.

Nadolig llawen

Hyd yn oed os ydych yn gweld person yn aml, fel y bydden i'n gweld Mam-gu, gall bywyd o ddydd i ddydd doddi i'w gilydd. Digwyddiadau'r achlysuron mawr sy'n crisialu'n atgofion yn y meddwl. Fydd Nadolig fyth 'run peth hebddi.

Mam oedd yn cwcan ers blynyddoedd, a deuai Dacs a Mam-gu atom bob blwyddyn i ddathlu. Ni chyrhaeddai'n waglaw. Mam-gu fyddai'n gwneud y gacen ac roedd hynny'n gyfraniad o bwys. Rhaid oedd i Mam roi'r gorau i dorri'r twrci neu dynnu dŵr o'r llysiau i dalu teyrnged urddasol – a hynny trwy'r stêm – i'r fam frenhines yn cyflwyno'r gêc. Gwyn fyddai'r eisin, ond anodd fyddai ei weld dan gymaint o addurniadau – hen ffrindiau fyddai'n ein tywys o un flwyddyn i'r llall: rhuban papur coch a charpiog o gwmpas yr ochr, ac ar yr wyneb, Siôn Corn, Siân Corn, dyn eira, coeden Nadolig, carw . . . pob un ohonynt mewn gwth o oedran ac wedi gweld dyddiau gwell.

Llenwai'r lle â'i chwerthiniad ffalseto, ac ar ôl Cinzano bach neu ddogn hael o frandi yn y pwdin, hi fyddai'r gyntaf i ddechrau gêm o wneud hetiau o bapur newydd – ac yna i wneud stumiau digri wrth bôsio am lun.

Mae rhai o'i hanrhegion yn glasuron. Lwyddon ni fyth i chwarae'r gêm Vagabondo gan fod y cyfarwyddiadau ym mhob iaith ar wahân i Gymraeg neu Saesneg. A beth am flwyddyn yr anrheg ymarferol iawn yna: powlen golchi llestri blastig, lliain sychu llestri ac, yn y canol, Mars bar?!

Technoleg dwp

Fuodd hi erioed i fyd technoleg. Cofiwch, gallai gloncan yn ddiddiwedd ar y ffôn. Driodd hi ddim deall yr un cyfrifiadur. Roedd y teledu'n ddigon iddi.

Rwy'n cofio ar un achlysur, pan oedd Catrin a finne'n fenywod ifainc, ceisio esbonio iddi sut oedd defnyddio'r recordydd fideo.

'Os y'ch chi am dapio rhaglen ar y teledu, bydd rhaid i chi roi tâp yn y peiriant gyntaf,' medden ni'n amyneddgar wrthi. Hwyrach ei bod o flaen ei hamser achos roedd hi'n gwrthod credu hynny.

'Doedd Dacs byth yn defnyddio tâp pan oedd *e*'n tapio rhaglen.'

Roedd hi'n gymeriad, o fwriad. Yn ei phersona rhwng hanner call a dwl, haws oedd cuddio meddwl sy'n mynd yn ffwndrus. Gallai ddadlau du yn wyn. Un Sul, roedd hi'n gwylio'r teledu pan gyrhaeddon ni. Gofia i ddim beth oedd hi'n ei wylio, ond gofia i'r llun ar y sgrin yn glir. Do'n i erioed wedi gweld ei debyg! Roedd fel gwylio adlewyrchiad mewn drych ffair. Roedd gan bawb ar y sgrin gorff byr, sgwat fel corachod bychain a phennau anferth fel balŵns. Ro'n ni i gyd yn ein dyblau'n chwerthin. Ond Mam-gu? Welai hi ddim byd o'i le. O edrych 'nôl, dyna arwydd clir o ddirywiad meddyliol oedd yn nodweddiadol o'i miri hi.

Credai hefyd fod ganddi'r 'goel', ac nid oedd ganddi ofn darogan pethau bach a mawr. Faint o wirionedd oedd yn hyn a faint o sioe, hi yn unig a ŵyr.

Camp yw cynnal hanner can mlynedd o briodas hapus. Yng nghanol y direidi a'r dwli, deuai ambell berl: 'Os y'ch chi'n cwmpo mas, peidiwch â mynd i gysgu'r nos nes eich bod chi'n ffrindie.'

Wedi i Dacs farw yn 1999 doedd bywyd ddim yr un peth a fu Mam-gu ddim yn hir iawn yn ei ddilyn yn 2006.

* * *

Gwraig gweinidog gariadus, addurnwraig cacennau Nadolig cwbl ddi-chwaeth a diymatal (mae geiriau un o feirniaid *MasterChef* yn dod i'r meddwl: 'One ingredient too many'), chwaraewraig gêmau ddireidus er na ddeallai'r rheolau, ffrind ffasiynol, gwisgwraig sodlau a 'jingl-arings', yr unig un yn y côr pensiynwyr â gwallt du . . .

Rwy'n meddwl am yr hanner cwpan a'r soser 'na yn y cwpwrdd: yr hanner oedd yn gyfan wedi'i droi fel ei fod yn wynebu'r ffrynt. Wel, i beth o'dd hi'n neud rhwbeth fel'na, 'te? Lico'r llestr, falle . . . rhyw arwyddocâd personol a aeth yn ddwst 'da hi . . . neu ddim eisie cyfadde ei fod wedi torri. Byddai hynny jest fel Mam-gu!

Troi'r cwpan, yn ei doethineb. A dyna wnaeth Mam-gu trwy gydol ei bywyd. Gwisgo lan. Chwarae'r part. Codi gwên. Llawn hyder. Ac fel y cwpan bach crand, lliwgar, amherffaith – dangos ei hochr orau i'r byd.

Jennie Meredith Evans

Nia Medi

Fel hyn fydda i'n licio gweld petha. Y flwyddyn honno, roedd y byd yma'n lle cyffrous iawn – y trydydd Olympiad yn dechrau yn St Louis, Missouri; y dramodydd Chekhov yn marw; rheilffordd y Trans-Siberia'n cael ei chwblhau, a Mr Rolls a Mr Royce yn cyfarfod am y tro cyntaf mewn gwesty ym Manceinion. Ac yma yng Nghymru, y Diwygiad yn ei anterth, a Mary

Elizabeth Jones yn gweld y 'goleuadau' yng Nghapel Egryn rhwng Bermo a Harlech . . .

Roedd mis Gorffennaf 1904 wedi dechrau yn danbaid o boeth. Stryd fawr Harlech dan ei sang – pawb yn prysur wneud eu neges cyn i haul hanner dydd fynd yn rhy llethol, eraill yn hel basgedaid o nwyddau i fynd i lawr am y traeth. Eistedd ar garthen, efallai, dan gysgod parasôl, tra oedd y plant yn rhedeg yn wyllt yn eu dillad nofio gwlanen trwsgwl cyn setlo eto ar y garthen i rwygo tameidiau o'r dorth fendigedig o fecws Pentre'r Efail, a'i sglaffio hefo'r caws gorau o ffermydd cyfagos. Hel eu cyrff lluddedig, tywodlyd wedyn am adre ddiwedd y pnawn, i fyny rhiw serth y Twtil o dan y castell ac i'w tai, mor oer a thywyll ar ôl gwres a disgleirdeb yr haul. Swper o datws a chig oer, ac yn syth i ymolchi ar gyfer y capel fore trannoeth. Roedd disgwyl pregeth fawr y diwrnod canlynol, a dillad gorau teuluoedd cyfan wedi'u gosod allan yn barod ar gyfer y Sul.

Ond roedd rhywbeth arall ar fin digwydd yn Harlech y pnawn hwnnw. Ar y stryd fawr, dros y ffordd i'r fferyllydd ac nid nepell o'r Siop Fawr (a werthai bopeth dan haul o flawd i hoelion), roedd bwthyn bychan a'i ddrws ffrynt ar agor i'r stryd a bwrlwm y dydd. Roedd 'na awel ysgafn yn mynd trwy'r tŷ gan fod ffenestr y gegin gefn ar agor. Yno hefyd roedd y *range* lle roedd dŵr yn berwi, a Tomos John Meredith yn tynnu ar ei getyn ar fainc y tu allan i ddrws y cefn. Roedd lleisiau a chwerthin i'w clywed ym mhen draw'r ardd lle roedd tafarn y Llew yn llawn o ddynion wedi cerdded o'u shifft yn chwarel lechi Llanfair, filltir i ffwrdd. Ond sŵn arall oedd ar feddwl Tomi. Yn y llofft uwch ei ben roedd ei wraig, Mary Elen, yn brwydro i eni ei phlentyn cyntaf, yr oriau a'r diwrnod yn gwibio heibio a hithau'n gwanhau fesul awr, a dim sôn am fabi.

Merch Harbour House, tŷ mawr ar y cei ym Mhorthmadog, oedd Mary Elen – fy hen hen nain, a gorwyres i John Williams y gofaint llongau, sef y bardd Ioan Madog. Fo pia'r englyn:

Crist y Meddyg
Pob cur a dolur drwy'r daith – a wellheir
    Yn llaw'r meddyg perffaith;
    Gwaed y Groes a gwyd y graith
    Na welir moni eilwaith.

Byddaf yn hoffi meddwl bod hyn wedi treiddio drwy'r genynnau rywsut, ac wedi ngalluogi innau i gael deg allan o ddeg ar y 'Talwrn' ambell waith!

Cyfarfod a phriodi Tomos John Meredith o Stiniog fu ffawd Mary Elen, a setlo mewn bwthyn bach ar rent ar y stryd fawr yn Harlech. Chwalwyd y bwthyn rai blynyddoedd yn ddiweddarach er mwyn adeiladu Banc y Midland, sy'n dal yno heddiw. Ychydig a wyddwn, yr holl flynyddoedd y bûm yn mynd i'r banc i drafod fy ngorddrafft yn fyfyrwraig dlawd (iawn), fod fy hen nain wedi bod yn llafurio i eni plentyn ar yr union safle hwnnw dros bedwar ugain mlynedd ynghynt.

Tapiodd Tomi Meredith ei getyn ar glawdd yng nghefn y tŷ cyn dychwelyd i dywyllwch y gegin; ar hynny, daeth gwaedd ddirdynnol o'r llofft a chymdoges yn dod ar ras i lawr y grisiau serth i nôl mwy o ddŵr a thywelion glân.

'Mae gynnoch chi ferch, Tomi Meredith,' meddai, cyn rhedeg yn ôl i fyny cystal ag y medrai â llond ei haffla o ddŵr poeth a llieiniau cotwm gwyn. Daeth sŵn crio plentyn o'r llofft, ond cyn i Tomi gael amser i wenu a chysidro faint o amser oedd yn briodol iddo aros cyn mentro i fyny, clywodd ei wraig yn griddfan mewn poen eto – ac roedd hi wedi bod yn gwneud hynny ers rhai oriau fel roedd hi! Dyna pryd y sylweddolodd y ddau ohonynt, un i lawr y grisiau a'r llall yn y llofft, fod mwy nag un plentyn am gyrraedd y diwrnod hwnnw.

Ganwyd Jennie Meredith funudau cyn ei hefaill Cassin. Roedd y ddwy'n fychan a gwantan, a Mary Elen wedi llwyr ymlâdd.

Ar ôl ychydig ddyddiau, roedd yn amlwg nad oedd gan Mary Elen y nerth i fagu'r ddwy fach, ac felly aethpwyd â'r lleiaf o'r ddwy i Borthmadog i gael ei magu gan ei nain. Roedd Jennie'n ffynnu gartref ar yr aelwyd yn Harlech ond, er gwaetha'r gofal a gafodd, bu farw Cassin yn dri mis oed yn nhŷ ei nain. Ys gwn i beth fyddai wedi digwydd tasa hi wedi cael aros efo'i hefaill, fy nain, yn Harlech? Ond dychymyg yw peth felly, wrth gwrs. Do, fe anwyd fy nain yn Harlech mewn bwthyn ar y stryd fawr. Oedd, roedd yn un o efeilliaid, a do, bu farw Cassin yn nhŷ ei nain hithau ym Mhorthmadog. Ond mwy na hynny, does neb a ŵyr.

Dim ond un peth y galla i fod yn berffaith sicr ohono: o'r crud i'r bedd, tyfodd Jennie Meredith i fod yn un o 'genod Harlech', ac o'r herwydd rwyf innau yma i adrodd ei hanes.

'Llond Datsun am Landudno'

Roedd brawd fy mam a'i deulu yn byw yn Negannwy, ac yn aml byddem yn mynd am Landudno i siopa, ac wedyn yn ymweld â'r teulu gan fynd â chacen o Marks & Spencer i de – sbwnj melyn, pinc a gwyn yn llawn siwgwr a hufen synthetig, gan amlaf.

Y diwrnod arbennig hwnnw roedd Mam wedi hen fynd i fyny i lawr cyntaf y siop, a finna'n dilyn efo Nain ar y grisiau symudol. Y peth nesa dwi'n ei gofio ydi gweld fflach o gôt tapestri Trefriw yn hyrddio tuag yn ôl, a Nain yn powlio i lawr y grisiau am yr adran fwyd! Pelen o batrwm traddodiadol Cymreig yn diflannu o'm gafael.

Cofiaf redeg nerth fy nghoesau i dop y grisiau a tharo'r botwm coch argyfwng – ond erbyn hynny, wrth gwrs, roedd Nain wedi cyrraedd y gwaelod ac wedi cychwyn yn ôl i fyny! Rhedodd staff o bob adran i helpu, gan godi Nain ar ei thraed a'i 'cherdded' fesul gris at y top. Aeth rhywun i nôl cadair a dŵr, a hwnnw'n cyrraedd mewn cwpan de tsieina tra oedd Nain, y gryduras, yn crynu fel deilen a heb ddim syniad sut roedd hi wedi llwyddo i roi'i throed yn yr hollt rhwng dwy ris, a'r rheiny wedi gwahanu a'i lluchio'n ddi-drugaredd ar wastad ei chefn, a'i hyrddio fel bwlet mewn brethyn i lawr y grisiau metel.

Rhyw hen 'sgeg' gafodd hi, dyna i gyd. Erbyn heddiw, mae'n rhaid i rywun chwerthin, ond ar y pryd dwi'n meddwl i minnau hefyd ddychryn. A'r achlysur yna yn anad dim sy'n mynnu gwthio i flaen y cof pan fydda i'n meddwl am fy nain. Dim ond ar ôl siarad amdani efo aelodau o'r teulu, a gwrando a darllen, yr ydw i bellach yn ei hadnabod hi'n well nag oeddwn i tra oedd yn fyw, a sylweddoli bod yna lawer mwy iddi na'r hyn a welais i yn yr amser byr y bu hi ar yr un ddaear â mi.

Ar ôl marwolaeth Cassin, wnaeth y teulu ddim aros yn hir yn y bwthyn ar y stryd fawr. Symudwyd i fwthyn bach arall o'r enw Ty'n Grisiau. Yno ganwyd dwy ferch arall, sef Evelyn Elizabeth a bach y nyth, Enid. Yn ystod y cyfnod yma, a thrwy gydol eu hoes, roedd y teulu'n gapelwyr brwd ac yn mynychu Capel Rehoboth – capel y Bedyddwyr Albanaidd a sefydlwyd gan J. R. Jones, Ramoth. Yno y daeth y teulu i adnabod brawd a chwaer oedrannus oedd yn chwilio am rywun i edrych ar eu holau yn eu henaint, a dyna sut bu i Nain a'r teulu cyfan symud i dŷ mawr braf ar ben pella'r stryd fawr. Wedi rhai blynyddoedd, a marwolaeth y brawd a'r chwaer, daeth cyfle i'm hen daid, Tomos Meredith, brynu'r tŷ am bris rhesymol, ac yno yn Awelfryn y magwyd y tair merch. Yno hefyd, yn Awelfryn, yr oedd fy nain yn byw am yr ugain mlynedd y cefais i ei hadnabod.

Roedd hi'n agos at drigain oed pan ges i fy ngeni, a bu farw'r flwyddyn y graddiais i ym Mangor, sef 1983, a finnau'n tynnu am un ar hugain. Felly ryw 'luniau' llonydd yn fy mhen sydd gen i o Nain ac o'r tŷ: *stills* wedi'u dal mewn un winc o lens camera'r cof, heb ystyr, dim ond eu bod yno, wedi'u ffeilio dan 'N' am Nain.

Mae'r lluniau'n fyw iawn i mi hyd heddiw: tanllwyth o dân mewn grât oedd yn sgleinio bob amser, basged wnïo orlawn yn y gornel o dan y teledu, antimacasars a siwmperi ar hanner eu gweu ar freichiau dodrefn, cypyrddau llyfrau a llestri o bobtu'r tân, baromedr yn y cyntedd yr oedd yn rhaid imi gael ei dapio wrth basio, cyn clywed y geiriau 'Paid â tapio'r baromityr 'na!' yn atseinio o'r cefn; piano yn erbyn y wal bella yn y parlwr lle byddai bwrdd wedi'i osod i'r 'fisitors' ar gyfer brecwast, gwsberis afiach o sur yn tyfu mewn llwyn anferth yn yr ardd gefn, stepen y drws ffrynt yn sgleinio, a'r olygfa draw am gastell Harlech a'r môr wrth eistedd ar y fainc yn yr ardd yn gwylio pobol ddiarth yn ymlwybro heibio efo'u hufen iâ; fy nghnitherod, fy nghefnder a minnau'n rhowlio i lawr y banc a glanio'n glowt o dan y gwrych pigog nes ein bod yn staens glaswellt i gyd; arogl nwy wrth fynd i mewn drwy'r drws cefn, arogl Brasso yn y parlwr, arogl tamp wrth fynd i'r llofft gefn, ac arogl coginio bob amser. Llyfr emynau ac amlen y casgliad yn barod ar y stand dal cotiau yn y cyntedd, dau neu dri ambarél yn y twll ambarél pwrpasol â phlatyn bach metal i ddal y glaw oedd yn llifo oddi arnynt wedi inni ddod i'r tŷ ar ôl cawod. Caead bach diddorol yn codi ynghanol y dodrefnyn – ac yno, blwch bach anweledig a'i lond o fenig a sgarffiau o bob lliw. Ac i'r drôr yma yr es i unwaith . . .

Bob pnawn Sadwrn byddem yn mynd i Harlech i wneud y neges am yr wythnos, a chael te efo Nain. Y pnawn hwnnw, roedd pawb yn y stafell fyw o flaen y tân yn gwylio'r reslo: Nain, ei chwaer Enid oedd wedi dod draw o Port efo Jac ei gŵr (John Jones, neu John Stesion fel y'i gelwid), a'm tad innau, Dic (Richard Edward Williams, gynt o Bentre Gwynfryn, Llanbedr). Pawb yn lluchio dyrnau gwynion a gweiddi ar y sgrin, a chnoi eu hewinedd i'r byw a bŵio Giant Haystacks, a rhyw waedd o 'Damia!' neu 'Hen ddiawl brwnt!' yn codi i'r awyr bob hyn a hyn. Finnau wedi laru ac yn mynd allan i'r cyntedd a gwisgo côt gapel Nain amdanaf, rhoi het am fy mhen a gwisgo menig a sgarff o'r drôr bach cudd, gafael yn y llyfr emynau, ac i mewn â fi i'r stafell fyw ac eistedd i lawr a dweud, "Esu, oedd 'na ganu da yn capal heddiw.' Chwerthin wnaeth pawb, wrth gwrs, a bu ailadrodd mawr ar y stori am fisoedd i ddod. Rhyw chwech oed o'n i ar y pryd, ac yn amlwg yn chwilio am gynulleidfa hyd yn oed yr adeg honno.

Roedd Nain yn eiddil a gwan ei hiechyd trwy gydol ei phlentyndod, a gresyn oedd iddi golli misoedd o ysgol o'r herwydd. Pan ddaeth y diwrnod i sefyll yr arholiad i fynd i ysgol y Bermo, roedd Nain yn wael yn ei gwely. Ni ddaeth ail gyfle, ac yn yr ysgol gynradd y bu hi hyd nes oedd hi'n bedair ar ddeg. Daeth yn fwy o 'gymhorthydd' i'r athrawon nag o ddisgybl, a chafodd addysg ragorol er iddi fethu mynd i'r ysgol ramadeg efo'i chyfoedion.

Yn ferch ifanc iawn, daeth Nain yn forwyn i ficar a'i wraig oedd yn byw yn Llys Bach, Harlech, yn ystod yr haf ond yn dychwelyd i'r mans yn Stroud drwy'r gaeaf. I Loegr, felly, yr aeth Nain ddiwedd yr haf. Daliodd i weithio yno tan i'r teulu ddychwelyd i Harlech yr haf canlynol, ac ar ddiwedd y tymor gwrthododd fynd yn ôl i Loegr efo'r Swaynes. Roedd wedi dioddef bron i flwyddyn o'r hiraeth mwyaf ofnadwy, a heb sôn gair am y peth wrth ei chyflogwyr.

O fewn dim roedd wedi cael swydd arall fel morwyn yn y Llew Coch yn y Bala, ac er iddi fod yn llawer hapusach ymysg Cymry Cymraeg, roedd hyd yn oed y Bala yn rhy bell ganddi, a hiraeth eto yn ei llethu. Yn ôl i Harlech â hi, ac o'r diwedd cael swydd wrth ei bodd yn siop y post. Gweithiai oriau hirfaith ac roedd y gwaith yn galed, ac ar ôl sbel cafodd swydd yn y swyddfa bost ei hun yn London House, ar waelod y rhiw o dan y castell. Un o'i dyletswyddau oedd cario'r post, a olygai gerdded milltiroedd maith bob dydd a chario bag trwm ym mhob tywydd. Yn anochel, oherwydd natur fregus ei hiechyd, daeth ei gyrfa fel postwraig i ben wedi iddi wlychu hyd at ei chroen un diwrnod, a hynny'n arwain at niwmonia. Bu'n ddifrifol wael ac yn orweiddiog am fisoedd.

Roedd hi'n tynnu at y Nadolig ac roeddwn i yn fy arddegau hwyr, yn fyfyrwraig yn y Coleg Normal ym Mangor. Doedd Nain ddim yn dda, wedi cael y ffliw, ac yn aros efo ni. Roedd pawb wedi mynd allan am y noson heblaw Nain a fi. Gofynnodd i mi am help i fynd i'r tŷ bach ond roedd yn rhy wan i godi. Helpais hi i gerdded gam wrth gam i'r tŷ bach allan yn y cefn. Duw a ŵyr sut, ond llwyddais i'w cherdded wedyn i fyny'r grisiau am y llofft fesul gris, a'i holl bwysau arnaf. Roedd hi'n crynu fel deilen, a gwres mawr arni ac yn hollol ddiymadferth. Tynnais ei dillad fel babi, a hithau'n lled-orwedd ar y gwely. Roeddwn yn meddwl ei bod yn mynd i farw unrhyw funud! Gwisgais fest wlân ychwanegol amdani, dillad isa glân (at y pen-glin), sanau neilon hefyd at ei phengliniau, a sanau gwely tew, fflyffi am ei thraed, pais, coban brei-neilon, a chardigan fach â rhuban yn cau am y gwddw ar ben y cwbwl nes oedd hi fel nionyn pinc. Troi ei chorff bach gwargrwm wedyn fel bod ei thraed yn wynebu gwaelod y gwely, a thaenu plancedi drosti. Yna rhedeg i lawr y grisiau i wneud potel ddŵr poeth, rhedeg i fyny'n ôl a gosod y botel wrth ei thraed, a gwneud yn siŵr ei bod yn gyfforddus (ac yn anadlu!). I lawr â fi wedyn i wneud paned . . .

Dyma waedd o'r llofft – 'Niaaaaa!' Fyny â fi eto, a Nain yn yr union fan y gadawswn hi o dan yr holl haenau, ond yn dal i grynu. 'Dwi'n oer, nenas,' meddai. 'Oes 'na botal arall?'

Lawr â fi eto, a llenwi dwy botel ddŵr poeth arall fel bod ganddi un ar ei thraed, un ar waelod ei chefn ac un i afael ynddi. Ac o'r diwedd aeth i gysgu'n sownd tan y bore. Wyddwn i ddim o hanes iechyd bregus ei hieuenctid bryd hynny. Diolch byth, oherwydd mi fuaswn wedi panicio'n rhacs. Rhyw flwyddyn neu ddwy wedyn, wedi iddi farw, y ces i wybod ei bod wedi bod yn dweud wrth bobol pa mor ffeind oeddwn i wedi bod wrthi'r noson honno. Mae hynny'n aros efo rhywun.

Digwyddiad arall rwy'n ei gofio'n glir yw'r Frenhines yn ymweld â chastell Harlech i ddathlu'r Jiwbi-lol. Finnau'n ddigon naïf i fynd i Harlech i aros efo Nain y noson cynt er mwyn cael 'lle da' i wylio'r mynd a dŵad. Roedd Nain a fi wedi cynhyrfu cymaint fel i ni daro cotiau dros ein cobanau a cherdded i lawr am y castell am dri o'r gloch y bore i wylio ffensys a ballu'n cael eu codi – ac roedd degau o bobol eraill wedi meddwl 'run fath â ni, ac yn barod roedd ochrau'r ffordd i lawr am y castell yn llenwi efo pobol a baneri. Adre â ni nerth ein traed i Awelfryn i newid o'n dillad nos, cyn mynd yn syth yn ôl i lawr i ymuno yn yr hwyl – ac yn fanno y buon ni wedyn tan ddechrau'r pnawn. Mae lluniau o'r hen Liz yn codi llaw a gwenu ar y taeogion wrth basio yn dal gen i yn rhywle! Nain druan, petai hi ddim ond wedi ngweld i'n protestio ym Mangor ychydig flynyddoedd yn ddiweddarach pan ddaeth Charles – mab Liz – i'r brifysgol, a sawl un o'm ffrindiau wedi bod mewn cell dros nos!

Priodi a symud mlaen

Trwy ei chariad at gerddoriaeth a'i ffyddlondeb i'r Côr Mawr yn Harlech yn y dauddegau cynnar, cyfarfu Jennie Meredith â mab ffarm ifanc oedd yn meddu ar lais bas cyfoethog. Roedd John Evans yn un o un ar ddeg o blant fferm Brwynllynau, Llanfair, teulu oedd yn adnabyddus am eu lleisiau godidog, a phriodwyd Jennie a John yn 1928.

Ddiwedd y flwyddyn honno, symudodd y cwpwl ifanc i'r Neuadd Goffa ym mhentref bach Llanfair, a dyma ddechrau ar un o gyfnodau hapusaf fy nain, cyfnod oedd i bara am ugain mlynedd. Roedd hi a Taid wedi'u penodi'n ofalwyr cyntaf yr adeilad, a hwythau'n dechrau ar y swydd mewn tŷ bychan oedd ynghlwm wrth gefn y neuadd, a'u plentyn cyntaf gyda nhw, sef fy mam, Mair Meredith, oedd yn dair wythnos oed.

Y Neuadd oedd canolbwynt fy mywyd cynnar innau, wedi fy magu nid nepell ohoni yn y stad dai ddau ganllath i ffwrdd. Ond credaf fy mod yn rhy ifanc i sylweddoli *pa* mor ganolog oedd yr adeilad i ni.

Cynnau tân yn yr hen stof *black lead* yn y gegin fyddai tasg gynta'r dydd, ac ymlaen wedyn i gynnau'r ddau arall, un yn yr ystafell ddarllen a'r llall yn yr ystafell biliards. Byddai'r stof yn y gegin yn twymo dŵr poeth a hwnnw'n ei dro yn cael ei gludo drwy'r pibau i'r baddondy yng nghefn y tŷ. Lle prysur iawn oedd hwnnw, gan nad oedd yna ddŵr oer heb sôn am fath yn llawer iawn o dai'r pentref bryd hynny. Chwecheiniog oedd y tâl am ei ddefnyddio, a byddai ambell deulu'n cael bargen go iawn wrth anfon sawl plentyn i folchi gyda'i gilydd.

Roedd cegin Nain yn fwrlwm o weithgaredd ddydd a nos. Gwnaeth filoedd o grempogau, cacennau bach ac yn y blaen ar gyfer y tyrfaoedd fyddai'n heidio yno'n wythnosol ar gyfer y gyrfaoedd chwist. Yn ystod y Rhyfel, i'r Neuadd y byddai gwragedd y pentre'n heidio i wau yng nghwmni'i gilydd: gweu menig, sanau, helmedau gwlân, sgarffiau a siwmperi i'w pacio a'u gyrru fel anrhegion Dolig i'r bechgyn oedd yn ymladd. Cesglid nifer o focsys sgidiau gwag ar fwrdd y gegin a'u llenwi efo'r creadigaethau ynghyd â siocled, sigarennau, sebon a phast dannedd, a llythyr neu ddau wrth gwrs. Yn y cyfnod yma roedd Nain wedi bod yn gwau dillad babi ar gyfer plentyn a anwyd i'w chwaer-yng-nghyfraith yn Wrecsam. Paciwyd hwythau yn un o'r bocsys oedd ar fwrdd y gegin. Ymhen pythefnos, cyrhaeddodd un o focsys y milwyr yn ei ôl, a phan agorodd Nain y bocs dyna lle roedd y *layette* bach ar gyfer y babi! Dim ond yr eiliad honno y sylweddolodd ei chamgymeriad!

Nid llawer o bobol Llanfair oedd â radio bryd hynny, felly ar achlysuron arbennig byddai'r pentrefwyr yn ymgasglu o amgylch y radio yn y Neuadd. Yn 1937 roedd gornest bocsio fawr ar ddigwydd rhwng Tommy Farr a Joe Louis, i'w darlledu am dri o'r gloch y bore o'r Yankee Stadium yn Efrog Newydd. Roedd miloedd o Gymry wedi ymgynnull yn yr oriau mân i glustfeinio ledled y wlad. Roedd cegin fach y Neuadd Goffa yn Llanfair hefyd yn orlawn. Bob hyn a hyn, byddai fy nain, ar ganiad y clychau rhwng y rowndiau, yn rhuthro i baratoi paneidiau yn y cefn ac yn eu cario trwodd gyda brechdanau ham, a hwnnw wedi bod yn berwi gydol y pnawn. Ymhen sbel, cynigiodd un o dynwyr coes mwya'r pentre wneud y te er mwyn i Nain gael seibiant. Mwynhawyd y paneidiau'n awchus, a Nain yn dechrau chwerthin a pharablu mwy nag arfer. Ar ddiwedd yr ornest, a Louis wedi curo'r Cymro o drwch aden gwybedyn, dyma gludo popeth yn ôl i'r cefn i'w golchi. Yno, gwelwyd potel wisgi wag ar y silff ffenest! Roedd y dynion i gyd wedi bod yn ei yfed mewn cwpanau, a Nain wedi cael joch go lew yn ei the heb sylweddoli dim!

Nain yr actores

Dychwelodd Taid a Nain i Awelfryn yn Harlech yn dilyn marwolaeth ei mam yn 1955. Roedd Nain wedi bod yn weithgar dros y blynyddoedd gyda Sefydliad y Merched, ac yn cyfeilio a hyfforddi pobol ifanc ac ati, felly roedd yn amhosib iddi feddwl am 'ymddeol'. Pan ddaeth y gwahoddiad i ymuno â Chwmni Drama Harlech, roedd wrth ei bodd.

Ro'n i wedi cymryd yn ganiataol mai fi oedd actores gynta'r teulu, ac roedd yn dipyn o agoriad llygad imi glywed am dalentau cudd fy nain. Mae'n amlwg mai o fanno, felly, y daeth yr awydd ynof innau i droedio llwyfannau!

Bryd hynny, Mrs Mary Frances Thomas oedd yn hyfforddi, yn sgriptio ac yn cyfarwyddo, ac roedd Nain wrth ei bodd yn teithio i berfformio ledled y gogledd a'r canolbarth. Un noson wlyb, oer ym mis Hydref, aeth y cwmni i berfformio yn Llanrhaeadr-ym-Mochnant. Doedd dim lle i symud yn y neuadd ac roedd cryn edrych ymlaen. Ychydig funudau wedi i'r llenni godi, brawychwyd pawb gan fflach anferthol o fellten, a chlep o daran i ddilyn, a gadawyd y lle mewn tywyllwch dudew. Ymhen rhai munudau wedyn, a phawb yn ymbalfalu a gweiddi ar draws ei gilydd yn y tywyllwch, daeth sŵn traed llywydd y noson o rywle. Roedd ganddo fflachlamp a golau gwan arni yn ei law. Eglurodd na fyddai'n bosib cael y trydan yn ôl am oriau, ond yn lle canslo'r perfformiad (fel byddai'n digwydd heddiw, mae'n sicir), gofynnodd i bawb yn y gynulleidfa oedd yn byw'n weddol agos bicio adra i nôl lampau – a dyna ddigwyddodd! Wedi toriad o hanner awr, roedd degau o lampau paraffîn ar hyd y silffoedd ffenestri, ar bob bwrdd, ar flaen y llwyfan ac ar y set, a hynny'n hen ddigon o olau i'r perfformiad fynd yn ei flaen. Bu'r noson yn llwyddiant ysgubol – a neb wedi yngan gair am iechyd a diogelwch! Yn wir, ychwanegodd y diffyg golau at gomedi'r ddrama gan nad oedd y cofweinydd yn gallu gweld y sgript yng ngolau'r gannwyll, felly roedd llawer o ad-libio a thynnu coes ar y llwyfan! Roedd y gymeradwyaeth ar y diwedd, yn ôl yr hanes, wedi codi'r to.

Wrth gychwyn oddi yno, fodd bynnag, roedd y storm yn dal i ruo a'r glaw yn ddi-baid, a digon anghysurus fu'r daith yn ôl i Harlech. Roedd Nain druan, meddai, wedi gorfod eistedd o dan ei hambarél y tu mewn i'r car yr holl ffordd adref gan fod y glaw yn pistyllio i mewn trwy do'r car!

Mae sawl digwyddiad yn hanes Nain y byddwn wedi hoffi bod yn dyst iddo – a'r noson honno'n fwy na'r un.

Tro ar fyd

Wedi colli Taid yn frawychus o sydyn ym mis Tachwedd 1961, dechreuodd Nain ddioddef eto o ran ei hiechyd a chafodd drafferthion efo'i chalon. Roedd hyn i bara tan ddiwedd ei hoes. Bu'n dioddef trwy gydol yr adeg o'n i'n ei hadnabod (ym mis Medi 1962 y ces i ngeni), a finnau heb wybod dim am y salwch.

Yn 1964 daeth llythyr o'r Unol Daleithiau yn estyn gwahoddiad iddi ymweld â Modryb Edith ac aelodau eraill o'i theulu yno. Dyma gyfle iddi ehangu ei gorwelion a theithio am y tro cyntaf (a'r olaf) ar awyren.

Llun pasbort Nain ar gyfer y daith

Roedd cyfeilles iddi – 'Mrs Williams fach', fel y'i gelwid, oherwydd ei chorff bychan eiddil – wedi bod yn aros am flynyddoedd i ymweld â'i merch yn Ohio. Dyma gyfle felly i'r ddwy gyd-deithio ar antur fawr. Bu'r ymweliad yn un hynod lwyddiannus a chawsant amser bendigedig. Roedd Modryb Edith mewn gwth o oedran erbyn hynny, ond mor rhugl yn y Gymraeg ag yr oedd hi pan aeth yno i fyw ddechrau'r ganrif. Treuliwyd aml i bnawn o flaen y tân yn 'edrych ar luniau trip Nain' dros baned am fisoedd ar ôl hynny.

Traed!

Peth arall sy'n aros yn fy nghof am Awelfryn yw'r tameidiau bychain o sbwnj pinc oedd i'w gweld yn y llefydd rhyfedda ar hyd y tŷ, a'r rheiny'n bob siâp dan haul. Roedd Nain yn dioddef yn ddifrifol efo bynions ar ei thraed, ac mae siâp ei thraed a'i hesgidiau wedi aros efo mi hyd heddiw. Byddai byth a beunydd yn 'trin' ei thraed, a lympiau o wlân cotwm a sbwnj a phlastars ar wasgar hyd y lle, fel petai darnau bychain o ryw blaned feddal, binc wedi bod yn disgyn yn araf o'r 'goruwch'. Tu mewn i'r bocs gwnïo a photiau blodau, mewn droriau a hen duniau bisgedi, roedd 'na olion pinc yn cuddio. Roedd hynny'n peri cryn ddifyrrwch i mi, er imi wybod yn iawn fod ei bynions yn boenus tu hwnt. Yn 1973 cafodd lawdriniaeth ar un droed, ac oherwydd cyflwr bregus ei chalon bu'n bur wael wedyn – gymaint felly fel y gwrthodwyd iddi gael sythu'r bawd ar y droed arall.

Adeg Eisteddfod Genedlaethol Llangefni 1983 oedd hi, a Nain yn mynd i Landudno i weld ei theulu. Doedd hi ddim yn teimlo'n dda cyn mynd. Roedd hi wedi bod yn aros efo fy mam am sbel, ac rwy'n cofio gwely bach wedi'i osod yn y parlwr ar ei chyfer. Rwy'n cofio hefyd ffarwelio â Nain a hithau'n gorwedd yn y gwely bach.

Dechreuodd grio a dweud nad oedd hi isio mynd i Landudno. Oedd hi'n gwybod, tybed, na fyddai hi ddim yn dod oddi yno?

Bu farw yn Ysbyty Llandudno lai na phythefnos yn ddiweddarach, ar ddydd Gwener ola'r Eisteddfod – a minnau i fod i gael lifft i'r ysbyty gan fy mrawd i fynd i'w gweld hi'r bore canlynol. Yn lle galwad ffôn i ddweud faint o'r gloch y byddai o'n cyrraedd i'm nôl, galwad ffôn i ddweud nad oedd pwynt i ni fynd bellach ges i.

Y diwrnod canlynol, daliais y bws o Fangor (lle roeddwn yn byw ar y pryd) i Borthmadog, ac rwy'n cofio hyd heddiw y bws llawn yn ymlwybro trwy Nebo a'r Groeslon yn fwrlwm o Awst, a minnau'n gweld fy adlewyrchiad yn y ffenest a'r dagrau'n llifo. Rwy'n cofio imi sgwennu cerdd ar ddarn o bapur; copïais y gerdd ar ddarn o gardfwrdd a'i osod efo torch o flodau ar fedd Nain yng Nghapel Ucha, Harlech, lai nag wythnos yn ddiweddarach, ar ddiwrnod ei chynhebrwng. Ni allaf gofio gair o'r gerdd rŵan, ond rwy'n cofio geiriau'r diweddar Barchedig Gareth Maelor yn y gwasanaeth, y byddai o'n 'cofio'r wên'.

A lle bynnag ydach chi, Nain, gobeithio'ch bod chi'n dal i wenu. A dwi'n siŵr y *basach* chi, hefyd, tasach chi'n gallu gweld Lewys, fy mab i, yn dal yn nhraddodiad y canu a'r chwarae piano . . .

Cantores, cyfeilyddes, actores, capelwraig frwd, cynbostwraig, siopwraig, gofalwraig neuadd goffa, yn cadw lle gwely a brecwast, yn chwaraewraig chwist heb ei hail, ac yn gallu gwau siwmperi Aran yn gebls i gyd, a hynny heb batrwm.

Fy nain.

Morfydd Llywelyn

Sharon Morgan

Ma hi'n ddiwrnod twym o haf, a dwi'n ishte mewn stafell dywyll. Dwi wedi dod i ymweld 'da Mam. Ma hen fenyw'n sefyll yng nghanol y stafell. Ma hi'n gwishgo piner hir, blodeuog dros ei ffrog las tywyll, a chap bach oren a gwyrdd ar ei phen. Ma'i gwallt llwyd hi'n jengyd o'r cap. Ma hi'n gwishgo glasys trwchus trwchus glas, ac yn clapo'i llygaid yn barhaus tu ôl i'r ddwy lens sy mor dew â gwaelodion potel. Ma hi'n gwenu. Yn gwenu a gwenu, ac yn siarad pymtheg i'r dwsin. Ma hi'n codi un llaw, a gweud 'chwedyn 'ny' drosodd a throsodd. Dwi erioed wedi clywed y gair 'na o'r blaen.

Ma pelydre'r haul yn llifo drwy'r ffenest hir, ac yn ei hynysu hi a'i chap a'i gwên a'i phiner a'i glasys, ond mae popeth arall yn y cysgod. Hi yw'r unig beth lliwgar, gole, yn y stafell dywyll bendramwnwgl sy'n llawn dop o gelfi od: soffa ryfedd ('shares long' ma Mam yn galw fe), cadair sy'n shiglo, a cloc â wyneb whech ochor ag 'E. Parry Llandilo' wedi'i sgrifennu arno fe.

Ma hi'n dwym yn y stafell, achos ma'r tân glo yn mynd fflat-owt er ei bod hi'n ganol haf. Ar y silff-ben-tân ma'r geirie: 'Don't Worry, It May Never Happen' wedi'u fframo, a dwi'n lico hwnna. Ond beth dwi'n lico ore yw'r llun o fenyw wallt melyn mewn ffrog hir ddu a choler gwyn les, a llyfr yn ei llaw. Dwi'n meddwl ei bod hi'n edrych yn fenyw sbesial.

'Elinor yw ei henw hi,' medde Mam. 'Ma hi'n hen fam-gu i ti. Da'th hi i fyw i'r ty 'ma pan briododd hi, amser maith yn ôl.' Hi yw mam y fenyw yn y piner. Ma Elinor yn bert, ac yn edrych dros y stafell bendramwnwgl fel 'se hi'n falch bod dim byd wedi newid ers pan dda'th hi yma'n ferch ifanc.

Dwi'n gwbod erbyn hyn taw mam 'y nhad yw'r fenyw yn y piner sy'n sefyll yn yr haul. Dwi'n galw hi'n Granma Morgan. Nana dwi'n galw mam fy mam, a dwi'n ei nabod hi'n dda iawn; dwi'n hala lot o amser gyda hi. Ma

Nana'n byw 'da Grandad, tad Mam, lan ar y ffordd i'r mynydd, ond ma Granma Morgan yn byw fan hyn, ar waelod Heol Tir-coed, wrth ei hunan. 'O'dd Granma'n ferch bert ofnadw pan o'dd hi'n ifanc,' medde Nana, 'gyda gwallt lliw aur, a lot o gwrls bach rownd ei gwyneb hi.'

Dwi'n gwbod taw enw'r tŷ pendramwnwgl yw Bryngwyn House, a taw Morfydd Llywelyn yw enw iawn Granma Morgan, achos bo fi 'di ffindo pishyn bach o bapur yn y cwbwrt pren ar bwys y tân. Ga'th hi ei geni ar 26 Medi 1889, am ddeg o'r gloch y bore. Ma Morfydd yn enw od, dwi'n meddwl – well 'da fi enw'i chwaer hi, Mary Esther. Ga'th hi ei geni yn 1887. Ond le ma *hi* nawr? Ma Mam yn dangos plât i fi, plât piws. Plât angladd Mary Esther. Buodd hi farw'n ddau fis oed.

Unig blentyn yw Morfydd. Elinor Thomas o Wennant, New Inn Shop, Llandeilo, a Dafydd Llywelyn o Ffarm Nantycreigle, Glanaman, o'dd ei rhieni hi. Briodon nhw ar 28 Rhagfyr 1884 – felly ma'n dweud ar y papur. O'dd y tŷ ddim yn bendramwnwgl pryd 'ny, o's bosib?

'O'dd Dafydd Llywelyn yn fanijyr yn y gwaith tun, a daeth Elinor i gadw'r toll ar sgwâr Glanaman, a 'na fel gwrddon nhw,' medde Mam. Dwi'n ishte ar y sgiw o'r tolldy. ''Na le o'dd hi'n cadw'r arian,' medde Mam. Dwi'n agor clawr y sgiw. Sdim arian mewn 'na nawr – ma'n llawn hen fflwcs. 'O'dd wastod morwyn 'da nhw,' medde Mam. Ma rhaid eu bod nhw'n posh.

Ma enfys o liw yn tasgu dros y papur wal blodeuog, brown, a phelydryn o'r haul yn taro rwbeth yn y cwbwrt pren. Cloch las yw hi – siâp cloch o gownter siop.

'Cloch Elinor o'dd honna,' medde Mam, 'pan gymrodd

hi at ei gwely. Arhosodd hi 'na am byth. 'Na pam o'dd morwyn 'da nhw.'

A wedodd hi wedyn taw tad 'y nhad na'th y cwbwrt pren, a taw saer coed o'dd e, ac ma Ben o'dd 'i enw fe. O'dd e wedi dod dros y Mynydd Du o Langadog i adeiladu tai ar Heol Tircoed, pan dda'th y gwithe glo.

Yn sydyn, mewn fflach, ma'r hen fenyw yn y piner yn yr haul yn ferch ifanc benfelen unwaith 'to. Ma hi'n codi basged o olch ac yn mynd mas i'r ardd i roi dillad ar y lein. Ma hi'n ddiwrnod gwyntog, yr haul yn gryf a'r awyr yn las gole ffresh. Sdim cwmwl yn unman. Ma 'na sŵn morthwylio. Ma 'na ddyn ifanc hardd, cyhyrog yn llewys ei grys ar ben to'r tŷ drws nesa. Ma fe'n codi'i law. Hithe'n gwenu . . . ma nhw'n cwmpo dros eu penne a'u clustie mewn cariad.

Ma'n feddwl i'n raso nawr. Ma Ben yn cael gwahoddiad i swper, a'r stafell bendramwnwgl yn daclus a hardd. Ma Dafydd Llywelyn yn holi'r gŵr ifanc am ei deulu.

'Ma Mam a Nhad wedi marw,' medde Ben. ''Yn chwaer i, Elizabeth, sy'n rhedeg y siop yn Stryd yr Eglwys, Llangadog.' Ma nhw'n trafod busnes, gan fod teulu Elinor yn rhedeg siop hefyd, yn Llandeilo. Trw' gydol y sgwrs, ma'r ddau ifanc yn osgoi edrych ar ei gilydd, eu meddylie ymhell mewn storm o gusanu gwyllt a chofleidio angerddol – yng Nghwmberach o dan y coed ar lan yr afon, ar ben Mynydd Llysu yng nghanol y grug, yng ngole'r lloer . . .

Am faint buon nhw'n caru? Pryd briodon nhw? Ac ymhle? 'Methodistiaid o'dd y Nantycreigles,' medde

Mam. Dwi'n gweld Morfydd mewn ffrog wen hir, a feil dros ei gwyneb. Ma bwnshed o rosynne melyn yn ei llaw, 'run lliw â'i gwallt.

Dwi'n codi caead y sgiw. Ma'n llawn o bob siort o fflwcsach: hen fenig, ede, pelenni gwlân, bwtwme, a llond bocs o bapure a llunie a chardie post. Yn eu canol nhw dwi'n ffindo tystysgrif priodas yn dweud bod Morfydd Llewelyn, Spinster, 22, a Benjamin Morgan, Builder and Contractor, 27, wedi priodi ar yr ail o Fai, 1912. Mewn swyddfa gofrestru.

Nid yn y capel. A falle ddim mewn gwyn. Siwt neis,'te, neu ffrog blaen smart – ond yn dal â'r blode melyn i fatsho'i gwallt.

A wedyn dwi'n cofio pryd ma penblwydd 'y nhad. Gorffennaf y cyntaf. Ga'th Nhad ei eni ar Orffennaf y cyntaf, 1912. Ma Morfydd yn sefyll mewn swyddfa gofrestru yn Llandeilo mewn ffrog smart blaen. Ac yn feichiog.

O'dd y tân yn eu gwaed nhw'n ormod? Oedden nhw'n caru'i gilydd yn fwy na'r byd i gyd? O'dd yr ysfa i ymollwng yn gwbl anorchfygol?

A beth wedodd Elinor? A Dafydd Llywelyn? Pryd sylweddolodd Morfydd, ac o'dd hi'n falch? Neu a'th hi at yr hen ddyn ar y mynydd? Y 'Quack' o'dd Mam yn galw fe – dyn o'dd yn helpu menywod â 'probleme'. Na'th hi fe'n fwriadol, i gadw Ben am byth? (Er, na'th hi ddim llwyddo, neu bydde fe'n dal 'ma nawr.)

Dwi'n ffindo carden â llun cloch, blode a modrwy aur. Ma'n dweud ar flaen y garden: 'Congratulations And All Good Wishes'.

Dear Cousins,

We were so surprised to hear that you were married, thanks so much for the card, if you had any photos taken do spare us one. Give our love to your Mother and Dad, with love and best wishes for your future happiness,

I remain, yours Truly,

Hilda.

'Seis dou bownd o shwgir o'dd dy dad pan ga'th e 'i eni,' medde Mam. Yn ddigon bach i ishte mewn jwg la'th . . .

Enwon nhw fe'n Bernard.

A hithe'n Morfydd Morgan nawr. Dwi'n meddwl amdani hi'n magu Nhad, yn canu hwiangerddi, yn ei glymu fe'n dynn at ei chorff mewn siôl, yn ei roi e lawr i gysgu yn ei grud. Dwi'n ffindo llun o Nhad yn fabi yn y bocs. Ma fe'n fabi pert penfelyn, yn ishte ar groen cadno, a tedi yn ei gôl. A llun arall, tu fas i Bryngwyn, 'da'i fam a menyw arall.

'Maud y forwyn yw hi,' medde Mam. 'Maud fagodd dy dad.'

Shwd lwyddon nhw i gyd-fyw? Dafydd ac Elinor a Maud, a Morfydd a Ben a Bernard y babi?

Ma 'na lot o gardie post yn y bocs. Rhai â llunie doniol, rhai â llunie hardd o lynnoedd a mynyddoedd, ac am ei fod yn gyfnod rhyfel, rhai â 'Brave Little Belgium' arnyn nhw, neu 'Votes for Women', ond sdim sôn am bethe felly ar gefne'r cardie.

Dwi'n gweld enw Ben ar garden bert. Llun o bont lwyd dros afon las a'r haul yn machlud yn y pellter sy ar y blaen. Y dyddiad sy ar y stamp yw 9 Medi 1913. Ma'r garden wedi'i chyfeirio at Mrs Morgan yn Bryngwyn. Ma Nhad dros ei flwydd, a Ben, ei dad, yn rhywle arall.

Dear Morfydd,

Can't possibly finish here. They keep finding something new to do all along. Would you mind sending me the small pocket book what is in my blue coat pocket, and the receipt for the glass, it's on the file upstairs and two or three paint brushes up with Williams Thursday.

Kindest Regards,

Ben.

Sgrifen glir 'da Ben – sgrifen neis. Ond ble ma 'here'?

Ma fe'n sgwennu'n aml, yn ffurfiol iawn: 'Dear Morfydd', 'Kindest Regards', 'Yours, Ben' – a dim ond unwaith 'Cofion Cynnes', achos Saesneg yw iaith y cardie.

'I shall not be home this week/I'm afraid it doesn't look as if I'll be back before the end of the week/Just a line to let you know I arrived back safe/Most likely I shall be down tomorrow 7.30 . . .'

Dyma garden 'wrth Morfydd. Dyw hithe ddim yn Bryngwyn chwaith. Wel, ddim o hyd. Weithie mae hi'n Llangadog gyda teulu Ben. Ma hi'n sgwennu'n aml at ei mam a'i thad, ac yn dweud 'run math o bethe â'i gŵr:

'Shall be home Sat./Arrived safely last night/Coming home Monday, baby alright/Home tomorrow . . .'

Dwi ddim yn deall. Ma Ben a Morfydd fel tasen nhw'n trafaelu 'nôl a mla'n rhwng Llangadog a Glanaman bob whip-stitsh. A wedyn dwi'n ffindo carden 'wrth Morfydd sy'n gweud, 'I shall be home tomorrow. Ben is starting at Van Poole, Llanddeusant tomorrow.'

Wrth gwrs. 'Builder and contractor'. O'dd Ben yn gweithio ar y ffermydd. A Morfydd yn hiraethu am ei theulu yn Bryngwyn. Yn teithio ar y trên, a Nhad yn fabi, wedi'i glymu wrth ei chorff â siôl. 'Saw Mr and Mrs Ned Williams on Pantyffynnon Station, did not speak to them, train was packed.'

Sdim rhyfedd fod gymint o sôn am y tywydd: 'Raining pouring / Awful rain / So rough and wet' – a wedyn, 'fine today' a 'weather glorious'.

Ma tystysgrif geni Anti Nancy hefyd yn y bocs. Ga'th hi ei geni ar 24 Ebrill 1915, medd y dystysgrif. Chwaer fach 'y nhad yw hi. Anti Nancy dwi wedi'i galw hi erioed, ond nawr dwi'n gweld taw Esther Ann yw ei henw iawn – Esther ar ôl chwaer fach ei mam, siŵr o fod, fu farw'n ddau fis oed.

Ma Morfydd fel tase hi'n treulio lot o amser hebddi, yn Llangadog. Mae'n sôn amdani'n aml wrth sgwennu at ei mam a'i thad:

'How is Nancy? Hope she is alright. Tell Doll to put the pillowslip that was on the rod on the front bed / How is Nancy? Wear her black boots.'

Ma Morfydd yn poeni am Nancy fach – ond ma hi hefyd yn poeni am Ben.

'Just a line to inform you that Ben's better but very weak, he gets up about dinnertime every day', a 'Shall be home Mon and glad to say Ben is better'.

Ma Ben yn dost. Dwi'n ffindo carden ac Awst 1915 ar y stamp. Llun o afon fyrlymus yng nghanol mynyddoedd

– afon Sawdde ar bwys Van Pools. Y cyfeiriad yw: 'Mr B
Morgan (62), West Wales Sanatorium, Llanybyther.'

Ma Ben mor dost dyw e ddim yn codi tan amser cinio,
a ma fe angen ei frws dannedd a thystysgrif at y doctor.

'TB o'dd ar Ben,' medde Mam. 'Yr holl dywydd gwlyb
'na mas tu fas ar ben y to, yn y gwynt a'r glaw. Jyrms yn
y lla'th sy'n achosi fe. Ma'r rhai sy â fe'n mynd yn welw
iawn, a ma nhw'n peswch. Yn peswch gwaed.'

Allt y Mynydd yw enw'r West Wales Sanatorium;
y Dywysoges Christina agorodd e yn 1906. Dyw
Llanybydder ddim yn bell iawn o Llangadog. Ma Ben yn
siŵr o fod yn lwcus bod *sanatorium* mor agos at ei
gartre. Ond dyw Morfydd ddim yn gallu mynd i'w weld
e . . .

'Ma TB'n ofnadw o gatshin,' medde Mam. Ma popeth
yn wyn mewn *sanatoriums*, a ma nhw'n cadw'r ffenestri
ar agor o hyd. 'Fel'na ma nhw fod i wella,' medde Mam.

Dwi'n ffindo llun o Ben, yn un o un ar ddeg o ddynion
yn ishte mewn dwy res. Ar waelod y llun mae'n dweud,
'The patients' committee, Allt y Mynydd, September 1915'.

Dyna pam ma Granma wrth ei hunan.

'Farwodd Ben yn y sanatorium yn dri deg oed,' medde
Mam. 'O'dd dy dad yn dair, Anti Nancy'n whech mish, a
Granma'n ddau ddeg whech.'

Yna dwi'n ffindo llun arall o Ben, yn edrych yn ifanc
iawn. Ma fe'n fachgen smart. Dwi'n edrych draw at yr
hen fenyw sy'n sefyll yn yr haul, yn ei phiner a'i chap,
ac am eiliad dwi'n gweld Ben yn sefyll wrth ei hochr hi'n
ddyn ifanc cefnsyth, cryf.

Bu Morfydd byw 'sbo hi'n naw deg un. Ar y daflen angladd ma'r geirie:

Er Cof Annwyl

am

MORFYDD MORGAN

Hoff briod y diweddar Benjamin

* * *

Ma'r 'shares long', y gadair siglo, cloc E. Parry Llandilo a'r sgiw yn 'y nhŷ i nawr. Ac ma llun Elinor Llywelyn 'da fi ar y wal.

Ma 'na lun arall ar y wal hefyd – llun merch fach tua wyth neu naw â gwallt hir melyn. Ma hi'n gwisgo ffrog lwyd a sgidie du, ac yn dala bat a pêl.

Morfydd Llywelyn yw'r ferch yn y llun – ac yn y cefen, y tu ôl i'r ffrâm, ma cwrlyn o wallt lliw aur.

Nain Cynlas

Eleri Llewelyn Morris

Fe wyddwn nad oeddwn i ddim yn ffefryn yr un o'm dwy nain. Yr hogiau, fy nghefndryd, oedd wedi cipio'u calonnau. Efallai fod hynny oherwydd i'r ddwy gael eu geni i gyfnod lle roedd merched yn cael eu cyflyru i feddwl yn uwch o ddynion nag o'u rhyw eu hunain. Ond o'r ddwy – Nain Cynlas, mam fy nhad, a Nain Port, mam fy mam – Nain Cynlas oedd fy ffefryn i.

Fedra i ddim dweud ei bod hi'n ddynes annwyl na chynnes. Doedd dim mwytha i'w cael gan Nain Cynlas, dim coflaid na sws. Ond roeddwn yn hoff iawn o'i chwmni. Cofiaf yn bennaf fel y byddwn yn edrych ymlaen at ei hymweliadau dyddiol pan oeddwn yn blentyn, a'r teimlad cysurus braf o'i chael hi yn y tŷ. Byddai'n darllen straeon i mi pan fyddai Mam a Dad yn brysur yn gweithio yn y siop, ac ar ôl i mi ddysgu darllen fy hun byddwn innau'n darllen iddi hithau: buom yn darllen straeon am bicsis a llygod a bwganod brain i'n gilydd nes i mi ddechrau sgrifennu fy straeon fy hun, yn bump oed. Straeon am bobol Mynytho, cwsmeriaid fy rhieni, oedd y rhain; straeon wedi'u hysgrifennu er mwyn i mi gael cwmni'r cymeriadau. Yn aml, Nain Cynlas fyddai'r gyntaf i gael eu clywed, ac fe dyfon nhw i fod yn fodd i ddal gafael ar ei chwmni hithau. Bob tro y byddai'n gwneud unrhyw symudiad tebyg i godi, byddwn yn gweiddi: 'Fedrwch chi ddim mynd *rŵan*, Nain, mae 'na rwbath ecseiting yn mynd i ddigwydd!' a cheisio trefnu'n sydyn i un o bobol mwyaf parchus y pentref gael rhyw antur go wyllt.

Taid a Nain Cynlas efo Gareth, fy nghefnder

Cefais y frech goch, brech yr ieir a sawl dolur gwddw ac annwyd pan oeddwn yn blentyn – ac fe wnes i eu mwynhau nhw bob un! Doedd dim ffordd well na bod yn sâl o ofalu 'mod i'n cael digon o sylw a maldod. Roedd Nain Cynlas yn hael iawn ei hamser bryd hynny a doedd dim angen i mi ddarllen fy straeon i geisio'i rhwystro hi rhag mynd. Y hi fu'n gofalu amdanaf pan ges i niwmonia yn chwech oed tra oedd Mam yn yr ysbyty. Daeth ochr dynerach iddi i'r golwg yn ystod y cyfnod hwnnw a bu'n garedig iawn wrthyf, yn codi gefn nos i wneud gwledd o jips a sôs coch i mi unwaith, wedi i mi ddeffro yn llwgu ar ôl bod heb fwyta ers dyddiau, ac yn pledio f'achos efo Dad dro arall ar ôl i mi ddechrau sgrifennu stori efo beiro ar wal fy stafell wely yn fy ngwres.

Roedd hi'n gymeriad cryf, yn barod ei barn ac yn blaen ei thafod. Weithiau, teimlwn fod Dad ar bigau yn ei chwmni, fel tasai o'n ofni beth roedd hi'n mynd i'w ddweud nesaf, a'r hyn fyddwn i'n dotio ato yn Nain Cynlas oedd nad oedd arni hi ddim o ofn Dad! I mi, yn blentyn, Dad oedd cynrychiolydd Duw gartref ar yr aelwyd: rhywun roeddwn i'n ei gysylltu i raddau helaeth ag ofn a chosb. Dwi'n siŵr nad oedd ar Mam mo'i ofn o, ac eto roedd o'n fòs arni hithau. Yr unig un oedd yn meiddio dweud y drefn wrtho oedd Nain.

Mae un tro yn arbennig yn glir yn fy nghof. Rhyw fis ar ôl i mi gael fy mhen-blwydd yn bump oed, fe glywais rai o'r plant hŷn yn yr ysgol yn dweud nad oedd Santa Clos yn bodoli. Roeddwn yn sicr eu bod wedi camgymryd yn arw, a'r noson honno, o ddigwydd cael Dad ar ei ben ei hun yn y siop, dyma fanteisio ar y cyfle i gael cadarnhad.

'Hei.'

'Be?'

''Chi be, ma 'na blant mawr yn 'rysgol yn deud nad oes 'na ddim Santa Clos.'

Roeddwn yn disgwyl iddo fo ddweud rhywbeth fel, 'Paid â gwrando arnyn nhw; deud clwydda maen nhw' – unrhyw beth ond yr hyn wnaeth o ei ddweud:

'Wel ia, a deud y gwir wrthat ti, does 'na ddim.'

'BE?'

'Does 'na ddim Santa Clos.'

'Ond pwy sy'n dŵad â phresanta i mi, 'ta?'

'Dy fam a fi.'

Y peth nesaf dwi'n gofio ydi rhedeg ar hyd y coridor bach byr rhwng y siop a'r tŷ yn brefu crio, a Nain a Mam yn codi'u pennau o'u sgwrs wrth y tân i weld beth oedd yn bod. Ymhen munud daeth Dad drwodd ar fy ôl, a dwi'n cofio union eiriau Nain wrth iddi droi arno: 'I be oedd isio i ti ddeud wrthi hi, y peth mawr?'

Doedd ganddi ddim meddwl o'i egwyddorion o ynglŷn â magu plant ('Wel, mi o'n i wedi deud o'r dechra, tasa hi'n gofyn unrhyw beth imi, y byswn i'n deud y gwir wrthi hi'), a chafodd ei yrru'n ôl i'r siop a'i gynffon rhwng ei goesau, yn siŵr o fod yn teimlo nad oedd o byth wedyn eisiau clywed am Santa Clos.

Fe achubodd Nain fy ngham sawl gwaith – ond roedd adegau pan fyddai'n well gen i tasai hi'n peidio. Tua wyth oed oeddwn i pan briododd un o gefndryd Dad. Roeddwn wedi rhoi fy mryd ar gael mynd i'r briodas – er, dwn i ddim pam: doeddwn i ddim yn ei nabod o cystal â hynny, a phan gyrhaeddodd y gwahoddiadau, doedd 'na 'run i mi.

'Tyd, mi awn ni i'w weld o,' meddai Nain.

Doeddwn i ddim yn siŵr beth yn union oedd pwrpas ein hymweliad nes i ni gyrraedd. Ond pan glywais i Nain yn dweud wrtho pa mor siomedig yr oeddwn i nad o'n i wedi cael gwadd i'w briodas, cofiaf deimlo fy hun yn crebachu mewn cywilydd.

'A'r beth bach wedi prynu presant i ti, cofia,' meddai Nain.

Y fi? Yn wyth oed? Wedi prynu presant iddo fo? Go brin.

'Iawn siŵr, Anti Meri,' meddai yntau. 'Mi geith hi ddwad siŵr, Anti Meri.'

Cofiaf ei fod yn edrych mor anghyffyrddus â minnau, ond drennydd fe gyrhaeddodd gwahoddiad drwy'r post. Ac wedyn, ar ôl hynna i gyd, pan ddaeth y diwrnod mawr, roeddwn yn sâl yn fy ngwely a ches i ddim mynd i'r briodas wedi'r cwbwl. Ond bu'n rhaid i Mam brynu anrheg i'r cwpwl hapus 'oddi wrth Eleri'.

Do, bu Nain Cynlas yn ffrind da i mi, ond nid felly roedd hi bob amser. Yr oedd un peth yn ei chylch nad oeddwn i'n ei hoffi o gwbwl, a hynny oedd ei thuedd i adrodd straeon oedd heb fod yn rhoi darlun ffafriol iawn ohona i, a hanesion am ryw helynt neu'i gilydd y byddai'n dda gen i gael eu gollwng o'm cof. Bob tro yn y straeon hyn, fy nghefndryd fyddai yr Arwyr tra byddwn innau'n chwarae rhan y Dihiryn. Un ohonynt oedd y stori honno am ryw hogan oedd wedi llwyddo i gael ei hun yn sownd mewn giât. Adroddai Nain gyda balchder sut roedd un o'm cefndryd wedi mynd i'w helpu, ond newidiai tôn ei llais wrth iddi ychwanegu:

'. . . ac Eleri yn chwerthin am 'i phen hi, 'mwyn Tad.'

Byddwn yn digio wrthi ac yn gwylltio'n arw pan glywn un o'r straeon yma; byddai Nain yn chwerthin am fy mhen i'n gwylltio, ac fe wnâi hynny i mi wylltio'n waeth.

Gallai fod yn llym iawn ynglŷn â rhai pethau hefyd: er enghraifft, doedd hi ddim yn cymeradwyo unrhyw sôn am gariadon. Cofiaf fynd am dro efo fy ffrind un bore Sadwrn yn y gobaith o weld rhyw hogiau bach roedden ni wedi'u ffansïo. Roedden ni tua saith oed. Daeth Nain i'n cyfarfod, a dyma ddweud wrthi i ble roedden ni'n mynd. Dweud y drefn yn arw wnaeth hi a'n ceryddu ni am fod mor wirion. Nid yn unig hynny: fe aeth draw acw i achwyn, a phan gyrhaeddais i adref amser cinio roedd Dad yn aros amdanaf efo chwip din boeth.

Tua'r un cyfnod, fe wnes i a'r un ffrind anfon llythyrau at ddau hogyn bach (arall) o'r ardal yn datgan ein cariad tuag atynt. Roedd llythyr fy ffrind yn cynnwys ambell frawddeg hynod fel 'Pan ddaw dy grachan di i ffwrdd [roedd o wedi syrthio oddi ar ei feic a brifo'i ben-glin], ga' i hi i gofio amdanat ti?' – tra bod fy llythyr i'n cynnwys brawddegau mwy diddychymyg fel 'Wnei di fy mhriodi fi pan fydda i'n fawr?' Fe bostiwyd y llythyrau efo llun brenhines ar yr amlenni yn lle stampiau. Cafodd llythyr fy ffrind groeso: roedd pawb yn ei gweld hi'n gês. Nid felly fy llythyr i. Pan gyrhaeddais adref o'r ysgol y diwrnod hwnnw, roedd 'na le acw! Yr oedd mam yr hogyn oedd wedi derbyn fy llythyr i, un o gwsmeriaid fy rhieni, wedi bod draw yn cwyno amdanaf, a'r hyn oedd wedi'i chythruddo fwyaf, mae'n debyg, oedd ei bod wedi gorfod talu dwbwl pris y stamp i'r postmon am ddanfon fy llythyr i gan nad oedd stamp arno. Roedd Mam a Dad o'u coeau – a doedd waeth i mi heb ag apelio at Nain. Pan gafodd hi wybod am fy nhrosedd, cefais bryd arall o dafod a chael ar ddeall fy mod yn Hogan Ddrwg Iawn. Bûm yn teimlo'n euog am yrru'r llythyr yma am flynyddoedd, heb fod yn siŵr iawn pam!

Gallech feddwl nad oedd Nain ei hun erioed wedi bod ag unrhyw ddiddordeb mewn dynion – ac eto, roedd hi wedi priodi Taid ac wedi cael chwech o blant! Bûm yn meddwl droeon sut y gwnaeth Taid a hi gyfarfod a dechrau canlyn, ond anodd iawn ydi dychmygu eich nain yn ifanc. Tybed fu 'na amser pan fu hithau'n pincio cyn mynd allan? Yn treulio oriau'n trafod hogiau efo'i ffrindiau? Yn giglan pan oedd rhywun roedden nhw'n ei ffansïo'n cerdded heibio? Yn cael cerydd gan ei thad am ddod adref yn hwyr? Oedd arni hithau ofn ei thad? Dim ond llun ohono a welais i, ac yn blentyn roedd hwnnw'n ddigon i godi arswyd arna i. Roedd o'n debyg i'r llun yn fy meddwl i o Dduw: dyn difrifol, sych a blin, efo gwallt hir, locsyn a mwstásh. Mae'n debyg ei fod o'n hynod o sychdduwiol. Roedd yn flaenor yn y capel, a gyda'r geiriau 'Sgin ti adnod heddiw?' y byddai'n cyfarch Dad a'i frawd pan oedden nhw'n blant.

Taid a Nain efo corn Cynlas yn y cefndir

Do, cafodd Nain Cynlas ei magu mewn cartref crefyddol iawn â chysgod y Diwygiad drosto. Gweinidogion (a

Lloyd George) oedd ei harwyr a bu'n gapelwraig fawr ar hyd ei hoes. Pan ddechreuais i leisio f'amheuon ynglŷn â bodolaeth Duw yn dair ar ddeg oed, ro'n i'n gofyn amdani. Roedd gan Nain ddywediad roeddwn i'n ei gasáu: pe bai'n meddwl fy mod yn mynd yn ormod o lances ac angen torri fy nghrib, byddai'n fy ngalw yn 'hen g'wan fach', a doedd dim yn gwneud i mi deimlo'n llai na chael fy ngalw yn hynny. Gallaf glywed ei llais hi rŵan: 'Yr hen g'wan fach, pwy wt ti'n feddwl wt ti i ddeud nad oes 'na ddim Duw!' Doedd waeth i mi heb â cheisio egluro nad oeddwn i ddim wedi *dewis* peidio â chredu yn Nuw; mai *methu* credu ynddo fo roeddwn i; doedd dim pwrpas trio esbonio y byddai'n well gen i fedru credu yn Nuw dig fy mhlentyndod nag wynebu'r posibilrwydd arall, sef ein bod ni ar y ddaear ar ein pennau ein hunain heb neb mwy na ni i edrych ar ein hôl. Buom yn dadlau ynglŷn â hyn; buom yn ffraeo. Gallwn i weld pa mor anodd oedd hi i Nain, o wybod ei chefndir hi, gwestiynu'r hyn a ddysgwyd iddi, ond wnaeth hi erioed unrhyw ymdrech o gwbwl i ddeall fy safbwynt i.

Ac eto, er cyn bwysiced oedd y capel i Nain Cynlas, doedd hi ddim yn sychdduwiol, chwarae teg iddi. Roedd yna ddigon o hwyl i'w gael efo hi. Buom yn rhannu aml i jôc ac yn chwerthin llawer wrth adrodd ein hoff straeon – fel honno am Nain a'i ffrind yn dod adref o Aberystwyth ar ôl diwrnod o siopio, a lastic blwmars ei ffrind yn rhoi yn sydyn, nes iddo syrthio i lawr dros ei fferau fel roedd hi'n camu ar y trên.

'A nath hi ddim byd ond camu allan ohono fo a'i godi fo a'i stwffio fo i'w bag . . . a fy siarsio fi i beidio â deud wrth 'i gŵr hi,' brwydrai Nain i ddweud trwy ei chwerthin.

Doedd dim rhaid i'w ffrind fod wedi poeni. Efallai nad Nain oedd yr orau am ffrwyno'i thafod ond roedd rhai pethau na chymerai hithau'r byd am eu dweud – ac roedd hysbysu Mr Jones am anffawd ei wraig ar orsaf Aberystwyth yn un o'r rheiny!

Ynglŷn â rhai pethau yn unig yr oedd hi'n biwritanaidd. Roedd hi wrth ei bodd yn galifantio ac yn siopio, yn hoff *iawn* o ddillad a mynd allan am de. Credaf ei bod, yn y bôn, yn gweld bywyd yn rhywbeth i'w fwynhau, a doedd dim byd yn morbid ynddi – fel fy nain arall. Siaradai Nain Port lawer am salwch. Bob tro roedden ni'n mynd i'w gweld roedd hi'n dweud bod rhywun neu'i gilydd o'i chymdogion yn wael iawn, wedi marw, neu ar fin gwneud. Yn wir, o wrando ar Nain Port, roedd rhywun yn cael yr argraff fod pobol Porthmadog yn marw ar raddfa mor frawychus nes ei bod yn syndod bod unrhyw un ar ôl yno. Doedd Nain Cynlas, ar y llaw arall, ddim yn trafod salwch fwy nag oedd raid iddi, a bu byw hyd nes ei bod yn naw deg saith, wedi mwynhau oes hir o iechyd. Cerddai'n sionc yn ei hesgidiau sodlau nes ei bod yn ei nawdegau. Un o'r ychydig weithiau iddi orfod mynd i'r ysbyty erioed oedd wedi iddi dorri ei braich ar ôl baglu ar draws Sioncyn, ei chi – a'r peth cyntaf a wnaeth hi ar ôl dod adref oedd rhoi cic i'r ci druan!

Er i'w golwg a'i chlyw ddechrau pylu wedi iddi gyrraedd ei naw deg, nid felly ei chof na'i meddwl. Arhosodd y rheiny'n loyw bron iawn i'r pen. Yr unig wahaniaeth, wrth iddi fynd yn hŷn, oedd ei bod yn tueddu i ailadrodd yr un straeon. Roedd ganddi un stori am gael cam yn ystod ei phlentyndod. Gwallt syth, di-liw oedd ganddi hi tra bo gan ei chwaer, Kate, fop o wallt cyrls lliw gwinau. Un diwrnod pan oedden nhw yn y dref, daeth dieithryn heibio a dotio cymaint ar Kate nes mynd i siop a phrynu dol iddi'n anrheg. Phrynodd o ddim byd i Nain. Anghofiodd hi byth mo'r dyn hwnnw, a hyd at ddiwedd ei hoes byddai'n dweud:

'Yr hen gena iddo fo 'te, yn gneud gwahaniath rhwng dau blentyn.'

Bu ganddi ddiddordeb erioed ym mhynciau'r dydd, a byddai'n ei dweud hi'n arw am rai o'r bobol oedd ar y newyddion. Aeth y duedd yma hefyd yn gryfach ynddi wrth iddi heneiddio. Cafodd bwl go hir o ladd ar Jeremy Thorpe, cyn-arweinydd y Rhyddfrydwyr, yn dilyn ei sgandal (a hynny, dwi'n amau, am iddo ddwyn gwarth ar blaid ei hannwyl Lloyd George).

'Yr hen gena iddo fo!' meddai, bob tro roedd ei enw neu'i lun yn y papur neu ar y teledu, a dechrau ei gaddo hi iddo fo wedyn yn y modd mwyaf ofnadwy.

Dwi'n cofio fel y byddai Dad yn gwingo yn ei gadair ar adegau fel hyn, ond pan ddywedai Mam, 'O Nain bach, peidiwch â dechra sôn am yr hen ddyn 'na eto, wir!', dal ei phen yn uchel fyddai hi, tapio'i ffon ar y llawr, a datgan yn groyw:

'Wel! Isio deud sydd!'

Yn anffodus, fe glywid y straeon am Eleri'r Dihiryn hefyd yn amlach ac yn amlach po hynaf roedd hi'n mynd. Waeth faint ro'n i'n protestio, roedd hi'n dal i'w hadrodd â blas, ac wrth iddi sôn am ei hwyrion, gellid clywed yr hen dinc o falchder yn ei llais. Na, nid fi oedd ei ffefryn hi, ond drwy'r cyfan, wnes i erioed amau nad oedd Nain Cynlas yn meddwl y byd ohona i. Ac roedd hynny'n golygu llawer i mi, yn enwedig gan na wnaeth fy nain arall, Nain Port, gymryd ataf erioed.

Rai blynyddoedd ar ôl i Nain Cynlas farw, cafodd Dad ei ruthro i Ysbyty Walton yn Lerpwl yn dioddef o waedlif ar yr ymennydd. Un pnawn, ynghanol pryder y cyfnod anodd hwnnw, o rywle cefais deimlad gwahanol: teimlad cysurus braf fel y byddwn yn ei deimlo erstalwm pan fyddai Nain yn y tŷ. Ac am rai munudau, gallwn fod wedi taeru 'mod i'n teimlo'i phresenoldeb hi yno, efo fi, unwaith eto. Soniais i ddim gair am hyn wrth neb, ond wythnosau'n ddiweddarach, ar ôl iddo wella, fe ddywedodd Dad un diwrnod, ohono'i hun:

'Peth rhyfadd. Pan o'n i'n Walton, mi ges i deimlad cry fwy nag unwaith bod Mam yna efo fi.'

Wnaeth hi ymweld â'r ddau ohonom ni yn ystod y cyfnod hwnnw? Fuodd hi'n gofalu amdanom ni, tybed? Mae'n amhosib dweud. Ond fyddai dim yn rhoi mwy o gysur i mi na meddwl bod Nain Cynlas o gwmpas o hyd yn rhywle, yn darllen fy straeon ac yn edrych ar fy ôl.

Neiniau

Sian Northey

Nain Gell a Nain Plas Isa oedd gan Mam. Nain Stiniog a Nain Maentwrog oedd gen i. Nain a Nain Blaena oedd gan fy mhlant. Nain a Nani sydd gan Jac – a fi ydi Nain.

Mae yna hud mewn enwi. Dim ond rŵan wrth sgwennu hwn ydw i'n sylweddoli y gallwn i fod yn rhywun gwahanol petai fy nwy ferch arall yn cael plant. Fe allwn fod yn Nain Sian, Nain Northey, Nain Pant Lôn neu rywbeth llawer mwy gwreiddiol. Ond i Jac, a'i frodyr neu'i chwiorydd pan ddown nhw, Nain ydw i.

Mae mabwysiadu enw newydd yn rhan bwysig o sawl defod, o'r camau hynny yn ein bywydau pan symudwn ymlaen o un peth i beth arall. Mae'n rhan bwysig o bob dechrau newydd. Rhoir enw newydd i leian wrth iddi ddechrau ar ei bywyd newydd yn y cwfaint. Ac mae fel petai bod yn Nain – a dwi ddim yn siŵr pam – wedi fy rhyddhau innau i ryw ddechrau newydd.

Nid sôn am fy nheimladau tuag at Jac ydw i. Mae'r rheiny, wrth gwrs, yn wych – cariad anhygoel o ddwfn a gwyrthiol o syml, heb y cymhlethdod a'r cyfrifoldeb a'r gwaith sydd ynghlwm â'ch plant eich hun. Yr holl *clichés* di-ben-draw yna – coeliwch fi, maen nhw'n wir. A choeliwch fi, fo ydi'r plentyn tlysaf ar wyneb daear.

Ond mae'r statws o fod yn nain, ynddo'i hun, wedi fy newid mewn rhyw ffordd elfennol iawn. Efallai oherwydd fy mod yn nain gymharol ifanc ac mai chydig iawn o'm cyfoedion sydd yn neiniau, dwi'n cael pleser o ddweud wrth bobl fy mod yn nain, ac o weld eu hymateb. Brolio a rhannu pleser a llawenydd ydi'r prif gymhelliant wrth gwrs. Ond mae'n gwneud i bobl fy ailystyried, fy ngweld mewn rhyw olau gwahanol. Mae'n gwneud i mi berthyn i'r un genhedlaeth â phobl sydd ugain mlynedd yn hŷn na fi. Mae'n fy ngalluogi i drafod bwyd llwy a llyfrau clwt efo pobl lawer iau na fi. Ac unwaith mae pobl yn gwybod fy mod yn nain, mi ga' i fod mor ddigywilydd a fflyrti ag y licia i efo dynion ifanc, heb i neb ystyried am funud mod i o ddifri. Mae'n hollol dderbyniol i mi wrthod gwahoddiadau i bartïon ac eistedd wrth y tân yn darllen, ac yn hollol dderbyniol hefyd imi fynd i bartïon a dawnsio trwy'r nos. Mae nain ifanc yn fod di-oed.

Tybed a newidiodd fy nain i yn yr un modd? Synnwn i ddim. Un o'r atgofion cliriaf sy gen i o Nain Stiniog yw un ohoni'n sgipio, ac yn gwneud hynny'n well na'm chwaer a finna. Mi fyddai hi wedi bod ymhell yn ei chwedegau yr adeg honno. Tybed pryd cyn hynny y bu i'r wraig benderfynol yma – a adawodd ei gŵr yn y pumdegau ar adeg pan nad oedd nemor neb yn gwneud hynny – sgipio? Pan oedd hi yn yr ysgol gynradd, efallai, yr un flwyddyn ag y derbyniodd dystysgrif am ddysgu sol-ffa. Mae'r tystysgrifau (dwy ohonynt) yn ffeiliau hel achau fy mam, a dwi wedi dod â'r ffeiliau adref efo fi heddiw i bori ynddynt.

Ganwyd Gwen Ellen Lewis, fy Nain Stiniog, yn 1900 (ac fe anwyd ei merch hi yn 1930 a merch honno, sef fi, yn 1960; fe chwalwyd y patrwm bach twt pan anwyd fy merch hynaf i yn 1987). Merch i William Lewis a Janet Lewis (Roberts gynt) oedd hi, ac fe'i ganwyd ar Ŵyl San Steffan. Mae hwnnw'n batrwm sydd wedi parhau – ganwyd fy merch hynaf i ar ddydd Nadolig, ac mae hithau yn ei thro yn disgwyl ei merch gyntaf ar y trydydd ar hugain o Ragfyr eleni.

Mae'r holl bapurach, gan gynnwys y dystysgrif geni (*profession of father – slate quarrier*; fe dderbyniodd William Lewis fedal aur am weithio i Gwmni'r Oakley am 68 o flynyddoedd), wedi'u gwasgaru dros fy mwrdd bwyd. Wrth ochr y bwrdd mae gen i silff lyfrau fechan y byddaf yn cadw fy llyfrau coginio arni, ac sy'n gartref hefyd i unrhyw lyfr arall sy'n digwydd bod ar y bwrdd ond yn gorfod cael ei glirio o'r ffordd os bydd mwy nag un neu ddau yn bwyta yma. Pan adewais i fy ngŵr, bedair blynedd a mwy yn ôl bellach, wnes i ddim mynd â dodrefn o'r cartref teuluol. Roedd y plant, yn eu harddegau, yn aros yno efo'u tad. Cynigiodd fy mam y silffoedd yma i mi. Dim ond yn ddiweddar y deallais fod y silffoedd wedi gwneud taith debyg unwaith o'r blaen. Pan wahanodd ei rhieni yn y pumdegau, un o'r pethau a wnaeth fy mam i helpu Nain oedd gwneud y silffoedd bychain yma allan o ryw silffoedd llawer mwy oedd wedi dod o rywle – llifio'r coed a siapio'r pren yn hanner crwn. I'r ddwy ohonom – i'r tair ohonom – roedd silffoedd llyfrau yn ddodrefnyn hollol angenrheidiol, hyd yn oed pan oedd bywyd yn mynd o chwith. (Efallai eu bod yn bwysicach – yn fwy angenrheidiol – pan oedd bywyd yn mynd o chwith.)

Fe fyddai Nain, dwi'n meddwl, wedi deall yn iawn sut mae llyfrau'n crwydro o gwmpas y tŷ ac yn pentyrru ar sil ffenest a bwrdd bwyd. Ac yn deall bod angen eu hel i rywle dros dro pan ddaw pobl ddiarth. Er, dwi ddim yn cofio'i thŷ hi'n flêr, ond cof plentyn ydi o, a tydi plant ddim yn sylwi ar flerwch. Lle difyr neu le diflas a wêl plant. Mam sy'n dweud fy mod i'n 'flêr fel Nain Stiniog'. Pan oedd Nain yn byw efo ni tua diwedd ei hoes, yn gaeth i'w gwely, fwy neu lai, dwi'n cofio Mam yn gwaredu at y llanast y gallai Nain ei greu heb symud cam – roedd papur newydd a llyfr, brwsh gwallt, sbectol a hancesi papur wedi'u gwasgaru dros ei gwely fel broc môr.

Mae gen i atgof clir o'r cyfnod yna pan oedd hi'n byw'n barhaol efo fy rhieni (am flynyddoedd cyn hynny, gweithredid rhyw system hafod a hendre – yn ei thŷ ei hun yn yr haf ac efo'i merch yn y gaeaf, a chryn drafod pryd y byddai'r dyddiad symud). Roeddwn i erbyn hynny wedi gadael cartref, ond wedi galw yno ar fy ffordd adref un diwrnod a chath fach efo fi. Golygai fy ngwaith ar y pryd ymweld â ffermydd Eryri ac roeddwn wedi cael fy mherswadio yn un ohonynt i gymryd cath fach. Dyma fynd â hi i'w dangos i Nain, a hithau yn ei gwely i lawr grisia. Hyd y gwn i doedd hi ddim yn ddynas cathod, ond fe gafodd bleser anhygoel o'r gath fach yma yn chwarae ar hyd y gwely. Pleser yn ei gwylio, ac yn arbennig bleser o'i chyffwrdd a'i mwytho. Does yna ddim byd mwy byw na chath fach. Ond er y pleser o weld Nain yn mwynhau'r gath, dwi hefyd yn cofio teimlo rhywbeth tebyg i euogrwydd. Neu o leiaf ryw dristwch cymhleth – tristwch oherwydd bod ei byd bellach mor gyfyng ac yn cynnwys cyn lleied o gyfle i gyffwrdd â phethau byw. Neu hyd yn oed y cyfle i gyffwrdd ag unrhyw beth nad oedd yn bapur newydd neu lyfr, brwsh gwallt, sbectol, hances bapur.

O edrych yn ôl trwy brism y blynyddoedd, a finnau'n dechrau sylweddoli fod yna bethau yn y byd yma na wna innau, chwaith, mo'u cyffwrdd byth eto, does gen i ond edmygedd o'i gallu i gael y ffasiwn bleser o gath fach.

Bu Gwen Ellen Hughes farw ar 21 Chwefror 1986. Ychydig cyn hynny roedd hi wedi symud i gartref henoed yn y pentref lle roeddwn i'n byw, ac fe alwais yno'n gynnar un bore ar fy ffordd i gyfweliad a chael gwybod ei bod wedi marw, ddim ond awr neu ddwy ynghynt. Roedd Mam yno. Fedra i ddim dweud a oedd yna aelodau eraill o'r teulu yno; mae'n od pa mor bytiog ac annibynadwy ydi cof rhywun. Ond mae gen i gof clir iawn o'r meddyg clên a oedd wedi dod yno i wneud y pethau mae'n rhaid i feddyg eu gwneud – gwaith papur, fwy na heb, yn yr achos yma – yn gofyn, ar ôl iddo ddeall fy mod ar fy ffordd i gyfweliad, a oeddwn i isio llythyr ganddo yn esbonio fy mod i wedi colli fy nain y bore hwnnw. A finna, gyda hyder rhywun chwech ar hugain sy'n berchen ei thŷ ei hun ac yn byw yno efo'i chariad, yn ei sicrhau fy mod yn iawn, diolch yn fawr. Neu efallai mai'r genyn 'peidio gwneud ffys' yna a etifeddais gan Gwen Hughes trwy fy mam oedd y rheswm pam y gwnes i wrthod ei gynnig. Roedd yn gyfweliad hir. Rywbryd yn y pnawn, gofynnwyd cwestiwn i mi ynglŷn â gwneud pwll ar gyfer denu bywyd gwyllt. Be fyddai'r camau cyntaf? Finna, gyda'm gradd mewn swoleg a'm tystysgrif mewn rheolaeth cefn gwlad, ddim ond yn gallu ateb 'Gwneud twll.' Dim gair arall. Allwn i ddim meddwl be arall fyddai angen ei wneud.

Dim ond rŵan, bron chwarter canrif yn ddiweddarach, ydw i'n sylweddoli pam y bu i'r cwestiwn yna fy llorio yn llwyr. Ches i mo'r swydd.

Wn i ddim pa swyddi y bu i Nain eu gwneud. Mae'n siŵr ei bod wedi gweithio yn rhywle, petai dim ond cyn iddi briodi. Mae'n ddigon posib fod rhywun wedi dweud wrtha i, ond tydw i ddim yn ei chofio'n gweithio. Roedd hi'n drigain oed pan ddes i i'w hadnabod, yn doedd, ac felly wedi byw ddwy ran o dair o'i bywyd. Ond ail-law – storis – oedd yr holl gyfnod yna i mi. Storis difyr, wrth gwrs: mae'r hanes am y polyn lamp a'r Diwygiad yn glasur a fydd yn ymddangos mewn rhyw stori fer gen i rywbryd, dwi'n siŵr, ond nid dyna fy adnabyddiaeth i ohoni. Cwmni Gwen Hughes rhwng 1960 ac 1986 ges i. A falla mai dyna'r esboniad am y teimlad o ailddechrau, o aileni bron, y mae genedigaeth Jac wedi'i roi i mi. Mae yna rŵan aelod o fy nheulu, person sydd yn bwysig iawn i mi, nad oedd yn fy adnabod i ddeunaw mis yn ôl.

Fy marnu ar sail yr hyn y byddaf yn ei wneud o hyn ymlaen y bydd Jac.

Yr hen fodan

William H. Owen

Fel 'yr hen fodan' y byddai ei meibion yn cyfeirio ati yn ei chefn. Nid bod ganddi 'run cysylltiad â Chaernarfon, hyd y gwn i. Dylanwad *Noson Lawen* y radio ac adroddiadau'r Co Bach oedd yn gyfrifol am y disgrifiad o'u mam. 'Does 'na ddim tempar rhy dda ar yr hen fodan heddiw,' fyddai ffordd y meibion o ddweud ei hanes. Ond os oedd ganddyn nhw lysenw am gonglfaen y teulu, doedd hi'n ddim byd arall ond Nain i mi. A hon oedd yr unig un oedd gen i, gan fod mam fy nhad wedi marw ymhell cyn i mi ddod i'r byd.

Bob tro y bydda i'n mynd ar hyd y ffordd fawr o Drawsfynydd am Ddolgellau mi ddaw Nain yn ôl i'm cof. Yn fuan ar ôl Bronaber, mi fydda i'n edrych i gyfeiriad y mynyddoedd ar y dde, ac os na fydd niwl yn ei guddio, yn cael fy nenu gan y bwlch rhwng y Rhinog Fawr a'r Rhinog Fach. Hwn yw Drws Ardudwy, y drws yr anelodd fy nain ei chamre tuag ato yn nechrau'r ganrif ddiwethaf. Eto, nid y ffordd yma yr oedd hi wedi meddwl dod i ddechrau.

Ar ôl ymadael â'r ysgol yn bedair ar ddeg, gadawodd ei chartref yng Nghwm Prysor i fynd yn forwyn at fyddigions yn Birkenhead. Mi chwerwodd pethau pan roddodd merch y tŷ y bai arni am ddwyn pres, ond hi ei hun oedd wedi'i gymryd oddi ar ei rhieni. A chan iddyn nhw goelio'r ferch, mi adawodd Nain ar ôl bod yno gwta hanner blwyddyn. Yna daeth yn ôl i weini yn ei hen sir – yn Tytandderwen, y Bala, yn llawer nes at ei chartref.

Wn i ddim beth a barodd i ferch hynaf fferm yr Hendre, Cwm Prysor, gymryd y goes wedyn a cherdded yr wyth milltir o'r Hendre am Ddrws Ardudwy ac yna i gyfeiriad Cwm Bychan. Ond yn un ar bymtheg oed, roedd Harriet Williams wedi'i chyflogi'n forwyn ar fferm Dolwreiddiog. Yn fy nychymyg, byddaf yn ei gweld yn gadael 'mawnog Trawsfynydd' a mynd ar gagal-drot ar hyd y llwybr caregog at Ddrws Ardudwy a'i hychydig eiddo i'w chanlyn. Yn lle mynd drwyddo am Gwm Nantcol, dyma hi'n troi i'r dde am Fwlch Tyddiad a chyrraedd y 'Roman Steps' i'w harwain i lawr y cwm tuag at Dolwreiddiog.

Fuodd hi ddim yno'n hir. Mi adawodd unigrwydd Cwm Bychan un pen tymor i fod yn forwyn yn y fferm agosaf at Gapel Salem, Cefncymerau, y capel yr oedd Curnow Vosper wedi gwneud defnydd ohono bum mlynedd ynghynt. Roedd gan ei chyflogwr newydd bump o feibion ond yr hynaf aeth â'i ffansi. Er ei bod bymtheng mlynedd yn iau na John Evans o Fferm Cefnisa, Llanbedr, mi briododd y ddau yn 1914 a hithau ond yn ddeunaw oed, a mynd yn ôl i gapel Cwm Prysor i wneud hynny. Y nhw oedd y ddau gyntaf erioed i briodi yn y capel bychan ar fin y ffordd rhwng Trawsfynydd a'r Bala, ac ymfalchïai iddi dorri tir newydd.

Mi dynnwyd sylw at ei hoed wrth ddathlu'r briodas ar fferm yr Hendre. Yn ôl adroddiad y papur lleol, 'yr oedd gwledd flasus a danteithiol wedi ei pharatoi' i'r

111

gwahoddedigion gan ei mam a'r teulu. 'Cafwyd amryw longyfarchiadau i'r pâr ieuanc gan Mr Hughes (y Parch David Hughes, y gweinidog) a'r hen bererin o Ddolhaidd, Mr Thomas Davies, a chan Mrs Williams (ei mam), ac yr oedd cyfaill y priodfab wedi anfon llongyfarchiadau barddonol' oedd yn cynnwys y sylw yma:

> Os ieuanc yw ei briod
> 'Dyw hynny ond bai bach!
> Os caiff hi fyw am dipyn
> Hi ddaw yn dipyn hŷn,
> A da fydd hynny wedyn
> Pan aiff o yn hen ddyn.

Diwrnod priodas Harriet Williams a John Evans.
(Yn 1914, doedd o mo'r 'peth i neud' i wenu ar ôl priodi!)

Wedi iddi fynd yn hŷn, fel pob nain, roedd ganddi farn gref ar wahanol newidiadau a ddôi i ran y teulu, yn cynnwys oed unrhyw un oedd yn priodi'n ifanc. Os oedd rhywun yn priodi yn un neu ddwy ar hugain, gallai fod yn feirniadol iawn a dweud: 'Maen nhw'n llawer rhy ifanc i briodi.'

'Ond Nain, roeddech *chi*'n priodi'n ddeunaw!' fyddai'r ymateb hy gan rai.

'Oeddwn – ond roeddwn i'n gwybod beth oedd gwaith caled, ac wedi gweld mwy o lawer yn yr oed hwnnw na maen nhw yn un ar hugain,' fyddai'r ateb bachog.

Ac roedd llawer o wirionedd yn hynny. Yn bedair ar bymtheg, hi oedd gwraig Nantcol, cartref ei gŵr, y fferm uchaf yn y cwm, a swatiai'n llwm ar y llethrau yng ngolwg y Rhinogydd. Doedd dim blewyn bras yn y rhan hon o'r tir mynyddig. Islaw roedd Maesygarnedd, hen gartref y Cyrnol John Jones, cefnogwr Cromwell a gollodd ei ben unwaith y daeth Siarl yr Ail i'r orsedd. Ond yn yr unigeddau, tynged Harriet oedd magu tyaid o blant a bod yn ganolbwynt ei theulu.

Roedd hi ei hun yn un o chwech o blant, pum merch a mab – bach y nyth a ddaeth yn dad i Ned yr Hendre, sy'n dal i ffermio yno o hyd. Wrth imi fynd â hi am dro yn y car i gyfeiriad Llandudno un tro, mi soniodd sut y daeth ei brawd i'r byd. Gweld arwydd am Drefriw a sbardunodd y stori.

'Mi benderfynodd Mami a Tada gael gwyliau bach yn Nhrefriw – newid o aer Cwm Prysor,' a rhyw wên yn ei llygaid wrth iddi ddechrau ar yr hanes. 'Dwi ddim yn siŵr oeddan nhw wedi cael holides o'r blaen ond roedd Trefriw yn lle ffasiynol i fynd iddo ar y pryd. Roeddan nhw wedi mwynhau'r lle na fu rotsiwn beth. Beth bynnag, yr hyn a ddigwyddodd oedd ein bod ni wedi cael ychwanegiad i'r teulu ymhen sbel wedyn. Dyna sut y cawson ni Iorwerth yn frawd bach i ni, ac mi gafodd ei ddifetha wrth gwrs!'

Esgorodd Nain ar fwy o blant na'i mam. Mi anwyd deg ond mi gollodd ddwy ferch yn fuan ar ôl iddyn nhw gael eu geni. Ychydig a soniai hi am hynny, ac am yr anfantais o fyw mewn lle mor unig. Dyna oedd y drefn a doedd marwolaeth fyth ymhell. Efallai fod cael wyth o blant a lwyddodd i oroesi caledi'r cyfnod wedi bod yn ddigon i liniaru ei phrofedigaethau. Ei phlant oedd cannwyll ei llygad, yn arbennig ei meibion. Nid nad oedd ganddi feddwl mawr o'i thair merch. Ond dim ond ar ôl i'r merched ddod i'r byd y dechreuodd gofnodi'r genedigaethau yn y Beibl Mawr oedd ar aelwyd Nantcol – enwau a dyddiad geni'r meibion yn unig sydd wedi'u rhestru yn y Beibl hwnnw.

Serch hynny, mi ddibynnodd lawer ar ei merched o dro i dro. Unwaith, erfyniodd ar yr awdurdodau addysgol i adael iddi gael help un ohonyn nhw, fel y cofnodir yn llyfr lòg hen ysgol Cwm Nantcol. Yn unol ag arferiad yr oes, yn Saesneg mae pob dim wedi'i gofnodi yn y llyfr hwnnw, ar wahân i un llythyr Cymraeg. Y flwyddyn oedd 1932, a'r athrawes ar y pryd wedi ailysgrifennu'r cais gan fy nain yn gofyn a ellid gadael i fy mam, Rhinogwen, 'madael o'r ysgol cyn pryd gan ei bod yn colli cymaint oherwydd gwaeledd ei thad:

Mae o yn wael o hyd ers blwyddyn rŵan, ac o dan yr amgylchiadau rwyf am anfon i ofyn i chwi a fyddwch mor garedig a gadael iddi fadael o'r ysgol Sulgwyn. Mae hi yn 14eg ar y 9fed o Fai, a mae yma 4 yn llai na hi a digon o waith ar ei chyfer. Ond buaswn yn fodlon iddi aros yn yr ysgol tan gwyliau'r haf pe dase posib gwneud hebddi . . . Hwyrach y bydd raid i chi anfon i Ddolgellau i ofyn am ganiatad, neu mi wnaf i os byddwch chwi yn dewis. Rwyf yn disgwyl yn arw y caiff ymadael. Waeth iddi ymadael mwy na cholli fel hyn o hyd.

Wn i ddim a gafodd ei ffordd. Ond yr hyn mae'n ei ddatgelu yw nad oedd ganddi ofn herio'r drefn ac mai Cymraeg oedd ei hiaith swyddogol hi, waeth beth oedd iaith addysg ar y pryd. Er iddi dderbyn ei haddysg ei hun yn Saesneg, yr iaith oedd wedi dylanwadu arni yn ei blynyddoedd cynnar oedd iaith ei chartref, yr ysgol Sul a'r capel yng Nghwm Prysor. Er na fyddai fyth yn uchel ei chloch dros y Gymraeg, doedd dim amheuaeth ynglŷn â'i Chymreictod a'i defnydd o'r iaith.

'Cael clefyd y sgyfaint wnaeth o,' meddai am rywun mewn sgwrs ryw dro.

'Be 'di "clefyd y sgyfaint", Nain?'

'Dwi'n synnu nad wyt ti'n gwbod be ydi o a titha â byd efo dy Gymraeg fel hyn ac fel arall. *Pneumonia*, siŵr iawn.'

A dyna fy rhoi i yn fy lle am y diwrnod. Serch hynny, doedd hi ddim yn cael y llaw uchaf bob tro. Roedd hi'n gallu bod yn fymryn o Falapropeiddwraig pan fyddai'n fater o ddefnyddio ambell air Saesneg. Pan symudodd perthynas i'r teulu a'i gŵr i fyw i Dremadog mi glywodd ei fod wedi cael gwaith.

'Maen nhw'n deud ei fod o'n *goal-keeper* ym Mhorthmadog.'

'*Store-keeper* ydi o, Nain . . .'

Daeth yn amser gadael Nantcol a dechrau ar gyfnod o fudo o un lle i'r llall. Efallai fod crwydro yn y gwaed gan ei bod yn honni ei bod o linach Iddewig o ochr ei mam. Mi ddaliwyd gafael ar dir y fferm ond gwerthwyd y tŷ i fod yn un o'r tai haf cyntaf yng Nghymru. Roedd Mr Grant, y perchennog newydd, yn ddyn uchel iawn yn ei golwg a soniai amdano fel pe bai wedi'i adnabod erioed. Llwyddai i grybwyll ei enw ag anwyldeb yn ei llais, heb feddwl o bosib y gallai mwy o Mr Grants beryglu'r hen ffordd Gymreig o fyw yr oedd hi mor hoff ohoni. Ond roedd o wedi talu £300 am y tŷ yn nechrau'r pedwardegau, a byddai hyn yn gefn solat iddi hi a Taid. Prin y gellid dweud ei fod wedi dod â lwc iddi.

Yn fuan wedi symud i ran isa'r Cwm, mi gafodd ddwy brofedigaeth chwerw. Ar brynhawn Sul braf yn Awst 1944 aeth ei mab hynaf, William Lewis, i ymdrochi yn afon y Cwm gyda rhai o bobl ifanc yr ardal. Er ei fod yn fachgen cryf, pedair ar bymtheg oed, aeth i drafferthion yn y dŵr oer a boddi. Mi amharodd hyn ar fy nhaid gan i'w iechyd ddirywio ar ôl y trychineb hwn, a bu farw'n fuan wedyn. Mi fyddai fy mam yn sôn bob amser fod ei mam wedi'i gwneud o 'stwff' llawer cadarnach. Oedd, roedd hi wedi teimlo o golli ei mab hynaf a'i gŵr, ond rywsut doedd hi ddim wedi gadael i'r amgylchiadau ei llethu'n ormodol. Mi ddaeth y sbonc yn ôl i'w cherddediad, ni phylodd ei hawydd i siopa am ddillad chwaethus ac ni chollodd ei ffydd. Doedd hi ddim am funud yn mynd i feio'i Duw am gymryd dau o'i hanwyliaid oddi arni mor ddisymwth. Daliodd i fynd i'r capel, a llwynog o gwmpas ei gwddf. Daliodd i edrych ymlaen, heb unwaith edrych yn ôl.

*Gyda dau o'i meibion – John ac
Iorwerth – yn y pumdegau*

Gyda'i meibion yn gefn iddi, daeth awydd ar 'yr hen fodan' i symud yn ôl i ben ucha'r Cwm. Daeth yn wraig Maesygarnedd, a'i phedwar mab yn ei chynorthwyo. Yno yr ydw i'n ei chofio gyntaf, a'i thro sydyn wrth wneud ei gwaith; doedd hi ddim yn un i wneud dim yn ei phwysau os gallai beidio. Mi fyddai ar ei phrysuraf adeg diwrnod cneifio pan fyddai ffermwyr y Cwm yn dod yno i helpu. Un o'u pleserau oedd cael egwyl i ginio. Ymhlith y cneifwyr oedd yn barod am fwyd ei gymdoges yr oedd Andro Jones, Graig Isaf. Yn ystod y bore roedd wedi dod o hyd i hen gyllell wedi rhydu a dyma'i rhoi ar y bwrdd yn lle'r gyllell oedd yno'n barod.

'Mrs Ifans, sginnoch chi ddim cyllell arall ga' i yn lle hon?' oedd y cwestiwn diniwed.

'Bobol bach, o ble doth honna, deudwch?' meddai hi wedi rhusio'n lân. Roedd wedi bod yn fore prysur ar y gorau a chafodd hi ddim amser i amau fod cynllwyn ar waith gan dynnwr coes y fro.

Efallai fod ei phersonoliaeth yn denu cymeriadau o'r fath. Pan aeth i siop fechan y groser ym mhentre'r Gwynfryn, y siop agosaf i'w chartref, mi gofiodd cyn gadael ei bod am dun o bys.

'Be fasach chi'n licio?' gofynnodd y siopwr, Rhys Jones, heb gysgod gwên, 'Thunderers neu Lightning?'

'Thunderers am wn i,' meddai hi, heb amau dim.

Mae gan y ddau le nesaf y bu'n byw ynddyn nhw enwau nodedig. Fron Dostan oedd y cyntaf a'i dalcen i gyfeiriad Cwm Bychan, a'r tir yn ffinio â'r fferm lle cyfarfu â'i gŵr. Dwi'n cofio'r Fron yn dda oherwydd y cynfasau gwlân ar y gwelyau a'r rheiny'n crafu'n enbyd, yn wahanol iawn i'r *flannelette* gartref.

'Rhaid i ti gledu i betha fel hyn, wsti. Wyt ti ormod o fabi!'

Hwn oedd y cyfnod y bu'n rhaid iddi fynd i'r ysbyty am y tro cyntaf. Mi fu'n rhaid mynd i Wrecsam i weld y llawfeddyg. Dyn o'r enw Mr Spalding oedd yno i'w gweld a bu'n sôn llawer amdano wedyn fel petai'n hen gyfaill iddi, a byddai'n ei ddyfynnu fel adnod o'r Beibl. Soniai am Mr Laslo, y dyn llygaid o Fangor, gyda'r un cynefindra.

Y driniaeth yn Wrecsam oedd tynnu'r cerrig o'r bustl. Doedd *gall bladder* ddim yn ei geirfa bob dydd. Geiriau Cwm Prysor oedd yn dal ar ei thafod, er nad oedd Cymreigio i fod ar *blood pressure*, yr 'anrheg' a adawodd i'w merch a minnau ar ei hôl. Mi fu'r driniaeth yn

Wrecsam yn llwyddiannus a chafodd y 'cerrig' i ddod adref efo hi mewn potel yn llawn hylif. Y cof sydd gen i yw eu bod yn glamp o bethau a rhyw wawr werdd arnyn nhw. Mi fuon nhw'n destun rhyfeddod am yn hir iawn a phawb yn cael eu gweld, weithiau cyn dechrau bwyta!

'Dydi hi'n medru bod fel siop bwtsiar yn yr hospitols 'ma, Mrs Ifans,' meddai un o'i chymdogion a ddaeth i edrych amdani.

Wrth i'r meibion adael cartref i briodi, penderfynodd 'yr hen fodan' ymddeol i le a'r enw rhyfeddaf arno. O ddrws ffrynt Talarocyn yn Llanfair, ar y Ffordd Uchaf am Harlech, mae'r môr o'ch blaen a Phen Llŷn yr ochr draw. Hwn oedd y tro cyntaf iddi fyw yng ngolwg y môr. Bellach, roedd hi wedi gadael y wlad ysgythrog o'i hôl ac roedd ganddi olwg newydd ar y byd. Eto, yr un pethau oedd yn mynd â'i bryd – ei theulu, ei chymdogion a bywyd y capel. A pharhau a wnaeth hynny pan benderfynodd adael yr olygfa hynod i fynd i fyw i ganol pobl ym Mhentre'r Efail, Harlech.

Roedd y lle doctor yn weddol agos at ei thŷ. Mi gysylltodd i ofyn iddo alw heibio pan oedd yn teimlo braidd yn wantan. Roedd un newydd wedi cyrraedd y dref – Dr Diaz, a du oedd lliw ei groen. Mi alwodd heibio ac aeth hithau at y drws.

'Not today, thank you,' meddai wrth y dyn diarth.

'No, Mrs Evans, I'm your doctor and you asked me to call.'

Ymhen ychydig, roedd yn sôn amdano yntau fel hen gyfaill! Fel gyda phob dim arall yn ei bywyd, llwyddodd i addasu i'w hamgylchiadau newydd.

Os oedd nodi pennau pregethau yn ddiléit iddi ar y

Sul, a thrafod cynnwys y bregeth wedyn a pharatoi gweddïau, mi ddechreuodd y teledu hefyd gael dylanwad mawr arni. Wedi siarad am bregethwyr, dôi'r sgwrs at gyflwynwyr fel Andrew Gardner a Reginald Bosanquet. Am ryw reswm annirnad mi afaelodd *News at Ten* ynddi, a soniai am y cyflwynwyr yr un mor frwdfrydig â phe baen nhw'n aelodau o'i theulu ei hun. Roedd yn darllen yn awchus bob dim a welai amdanyn nhw.

'Fasa rhywun byth yn deud fod Andrew Gardner yn chwe troedfedd a phum modfedd wrth edrych arno fo. Ac mae gynno fo bedwar o blant. Dwn i ddim pryd mae o'n eu gweld nhw na'i wraig a fynta'n gweithio mor hwyr. Ond mae o i'w weld yn ddyn dymunol. Dwi'n licio'r Reginald Bosanquet 'na'n iawn hefyd, ond mae o'n dipyn mwy o rôg!' A rhyw chwerthiniad bach ysgafn i gadarnhau.

Er mor annibynnol ei natur oedd hi, yng nghwmni ei *TV Times* mi simsanodd ei hiechyd. A hithau'n tynnu am ei phedwar ugain, mentrodd fudo am y degfed tro yn ei hoes a symud i fyw at fy mam, bum milltir i ffwrdd. Am y tro cyntaf ers deugain mlynedd, roedd y ddwy'n cyd-fyw o dan yr un to. A rhyw ganllath oddi wrthyn nhw roedd ei merch hynaf yn byw. Doedd hi ddim wedi cael cynifer o'i theulu mor agos iddi ers sawl blwyddyn a châi drafod ei pherthnasau'n gyson – ei phlant ei hun a'i hugain o wyrion a rhai o'u plant hwythau – gyda llif o ymwelwyr o bell ac agos.

Mi griwtiodd yn arw yn ei chartref newydd, ond byrhoedlog fu hynny. Un pnawn Gwener yn 1977 daeth galwad ffôn i ddweud ei bod wedi marw y bore hwnnw ar ôl cael poen sydyn yn ei brest. Mi dorrodd y dagrau'n llifeiriant wrth fynd yn y car am adref. Eto, wedi cyrraedd y tŷ a'i gweld yn ei harch agored, mi giliodd yr emosiwn hwnnw. Hi oedd y gyntaf a'r olaf i mi ei gweld mewn arch. Edrychai mor dawel urddasol a di-boen wedi'i gwisgo'n barod am y daith derfynol fel na allwn wneud dim ond syllu arni'n werthfawrogol. Unwaith yr oeddwn wedi mynd i lawr y staer roeddwn yn barod i fynd yn ôl i'r llofft i'w gweld eto. Mi ddenodd yr olwg dangnefeddus ar ei hwyneb fi'n ôl ati sawl tro cyn i'r saer gyrraedd i osod y caead. Yn y distawrwydd annodweddiadol, roeddwn yn cael dod i delerau â'i marwolaeth a sylweddoli fod prif lais teulu fy mam yn fud.

Nain

Ffion a Betsan Angell Roberts

Mae Nain yn deud ei bod hi'n hen, ac o gymharu efo ni, ella 'i bod hi – mae hi'n chwe deg dau ac mi ydan ni'n ddeg ac wyth! Ond tydi hi ddim yn ymddwyn yn hen o gwbl. Mae hi'n neud i ni chwerthin wrth ddeud straeon wrthym ni am pan oedd Mam yn fach. Mi oedd mam yn hogan ddireidus pan oedd hi'n ifanc, yn ôl Nain, ond mae Mam yn deud bod Nain yn gor-ddweud.

Enw nain yw Enid. Mae hi'n byw yn Felinheli ac mae hi'n cerdded bob dydd oherwydd tydi hi ddim yn gallu dreifio, ac mae hi'n mynd i'r *gym* cyn ein nôl ni o'r ysgol. Weithiau mae hi'n mynd â ni allan am fwyd ac mae hi'n gadael i ni ddewis lle, a tydi hi byth yn cwyno am ein dewis ni. Ond mae'n well gennym ni fynd i gael bwyd yn nhŷ Nain a Taid achos ei bod hi'n coginio bwyd hyfryd i ni. Spaghetti Bolognese Nain ydi'r neisiaf yn y byd.

Mae Nain yn ein helpu i wneud ein gwaith cartref, ac mae hi'n gyfeillgar ac amyneddgar iawn. Mae hi wedi cael digon o ymarfer gan ei bod yn arfer bod yn athrawes ysgol gynradd – mi ydan ni'n meddwl y bysan ni wedi mwynhau cael ein dysgu gan Nain, ond mae hi'n deud y bysan ni wedi gorfod ei galw yn Mrs Jones ac mi fysa hynna jyst yn rhyfadd.

Hoff bethau Nain yw *Coronation Street* a chaws glas. Ein hoff beth ni am Nain yw ei bod yn garedig ac yn rhoi'r cwtshys gora yn y byd i gyd.

Yn yr haf mae Nain yn mynd â ni ar wyliau. Eleni aethom i Center Parcs ac roedd rhaid mynd o gwmpas ar feic. Roedd llawer iawn o elltydd yn Longleat a doedd dim gêrs ar feic Nain, felly roedd rhaid iddi ddod oddi ar ei beic a'i wthio i fyny'r allt – er, bob hyn a hyn roedd Taid yn gwthio'r beic i fyny'r allt i arbed gwaith i Nain.

Y geiriau fysan ni'n defnyddio i ddisgrifio Nain ydi: caredig, clên, prysur, hwyl, del ac ifanc. Mae hi'n dangos i ni ei bod yn ein caru bob dydd ac mi ydan ni'n ei charu hi hefyd.

Mi ydan ni'n lwcus iawn gan fod gennym ni y nain orau yn y byd i gyd – wel dyna ein barn ni, beth bynnag!

Nerys a Non

Lleucu Roberts

Wrth barcio'r car, gwelais fod balŵns ar giât Bryn Dedwydd: dwy goch gron a dwy hir fel sosejys glas a melyn. Roedd Nerys yn y drws yn gwenu – Gwion yn ei breichiau, a Mared a Guto o bobtu ei choesau a golwg fymryn yn swil ar wynebau'r ddau.

'Pen-blwydd hapus!' gwaeddodd Nerys wrth i mi gau drws y car, a Mared a Guto'n ei hadleisio'n ansicr wrth iddi eu promtio.

'Ty'd i ddeud pen-blwydd hapus wrth Anti Non!' galwodd Nerys i mewn i'r tŷ, a daeth pen melyn Llion i'r golwg heibio'i braich. Wnaeth o ddim dymuno pen-blwydd hapus i mi chwaith, dim ond edrych arna i fel pe bawn i'r peth rhyfeddaf dan haul.

Rhoddais fy mag llaw lledr coch o dan fy nghesail, tynnu fy mhashmina'n dynnach amdanaf – gan ddifaru gwisgo'r ffrog haf ddilewys wrth gofio nad oedd Nerys fel arfer yn rhoi'r gwres canolog ymlaen tan ganol gaeaf noethlwm – a cherdded tuag atynt.

Symudodd y pedwarawd fel un i wneud lle i mi fynd i mewn.

Sylwais ar ragor o falŵns yn y cyntedd, rhai ohonynt â '58' wedi'i ysgrifennu arnynt efo pen ffelt.

'Nerys fach, ti 'di mynd i drafferth!'

'Ddim bob dydd o'r flwyddyn mae hi'n ben-blwydd arnat ti,' meddai hithau'n hynod o annwyl heb adael i'w gwên lithro am un eiliad.

Awtsh, meddyliais, cyn rhoi'r peth o'm meddwl yn syth.

* * *

'Ddim bob dydd o'r flwyddyn mae hi'n ben-blwydd arna i!' meddwn yn biwis wrthi wythnos ynghynt yn y Goat wedi iddi ddweud na allai ddod allan i ddathlu.

'Fedra i ddim, dwi'n gwarchod.'

Cododd Nerys i fynd i'r tŷ bach a 'ngadael i'n berwi i mewn i fy G&T. Roedd hi'n fy nabod i'n ddigon da i wybod ei bod wedi pechu, ac mi wnawn i'n siŵr na châi anghofio hynny. Yn eisin ar y gacen (nid un ben-blwydd – *fyddai* dim pen-blwydd eleni!), soniodd Helen a Gwenda na allen nhw ddod chwaith, gan fod y ddwy'n mynd i ffwrdd ar eu gwyliau. Arglwydd mawr, meddyliais, dim ond noson yn y Goat oeddwn i ei heisiau, nid sbloetsh go iawn yn y Royal. Câi hwnnw aros am ddwy flynedd arall.

'Ma Sali a Dei'n mynd i Lundain,' eglurodd Nerys ar ôl i mi ei dilyn i'r tŷ bach, a finnau wedi gwisgo'r wyneb pwdu gorau fedrwn i er mwyn dweud 'sdim ots' yn otsiog iawn wrthi. 'Fyddan nhw ddim adra tan yn hwyr.'

O ble cafodd Sali a Dei arian i fynd i jolihoetio i Lundain, a'r ddau'n slafio fel dau idiot ar y fferm 'na o fore gwyn tan nos ddu, dyn a ŵyr.

'Be neith y gwartheg?' holais yn greulon. 'Wnawn nhw ddim godro'u hunain.'

'Mi gân help dros y ddeuddydd maen nhw i ffwrdd.

126

John, cefndar Dei, 'di gaddo helpu, chwara teg. Un da 'di John, wrth 'i fodd yn ffarmio . . .'

Caeais fy nghlustiau a difaru gofyn. Trois at y drych i gyweirio fy ngholur. Sylweddolodd Nerys ar ganol brawddeg nad oeddwn i eisiau gwybod mewn gwirionedd ac aeth i mewn i'r ciwbicl gan gau'r drws yn galetach nag oedd angen.

Iawn iddi wybod 'mod i'n flin, meddyliais, a mynd yn ôl at y lleill.

Mae Nerys a fi'n ffrindiau gorau ers cyn oes Adda, felly fyddwn i byth wedi gallu cnoi 'nhafod yn hir pan âi hi ar fy nerfau neu dynnu'n groes heb angen. Fyddai hithau ddim yn cadw dim rhagof innau chwaith – neu fyddai hi ddim erstalwm. Arni hi mae'r bai, yn ymddwyn fel pe bai hi wedi'i rhoi ar y ddaear 'ma'n unswydd i fod yn gadach llestri i'r mab a'r ferch-yng-nghyfraith yna sydd ganddi. Dwi'n cofio Nerys, ar fwy nag un achlysur, yn dawnsio ar ben bwrdd yn y Goat a choctel 'Sex on the Beach' yn ei llaw yn canu 'Bing bongs' di-chwaeth dros bob man a Dave Barman yn gorfod begian arni i ddistewi rhag i Griw Duw'r pentref glywed a'u cau nhw i lawr. Droeon eraill wedyn, Nerys wedi dod â'i gitâr, a phawb ohonom yn bloeddio'r 'Dref Wen' a 'Desperado' am y gorau i gofio'r geiriau, nes bod ein lleisiau ni'n gryg, ac weithiau aem i gyd yn ôl gyda hi i'r fferm a dal ati i ganu'r un hen ganeuon nes bod Seimon druan yn codi o'i wely a dod atom yn y diwedd, i ganu'r un caneuon nes bod yr haul yn bygwth gwawrio, a fory'n bygwth dod, damia fo, i chwalu'r parti.

Ac wedyn. Wedyn, trodd Nerys yn Nain. Yn weddw gynta, wedyn yn nain. A daeth y parti i ben.

Daethai allan gyda ni sawl gwaith wedyn hefyd, ond roedd hi'n amlwg mai dynes yn ei du oedd Nerys y tu ôl i'r dillad nos Sadwrn. Doedd ei chwerthin ddim yn chwerthin gwlychu-nicar fel o'r blaen. Wrth iddi golli Seimon, ac wedyn wrth fyned – neu ddyfod – ohoni yn nain (myned, am wn i, am mai mynd oddi wrtha i wnaeth hi), aeth yn barotach i adael i'r criw, ac i minnau lithro oddi ar ei chalendr rywsut.

Roedd Nerys yn nain go iawn, yn gwneud y pethau neinaidd i gyd, a finnau ddim.

Pan gafodd Dafydd fab, wnes i ddim dechrau gweu na gwneud cacennau na chynnig gwarchod (anodd rhwng 'Rabar 'ma a Chaerdydd), a wnes i ddim rhoi'r gorau i wisgo sgertiau a ddangosai fy mhengliniau. Wnes i ddim dechrau siarad babi, na howian fel hyena am gael magu Ifan yn fy mreichiau, na chymedroli o ran rhegi, yfed, mynd allan, ffrindiau, mwynhau. Ches i erioed mo Ifan yn fy nghwmni heb i rywun arall fod yno hefyd, a difaru rhwbio'i gefn i annog codi gwynt wnawn i – ie, droeon – a'i regi dan fy ngwynt wrth geisio rhwbio staeniau llefrith oddi ar ysgwyddau blowsys a gostiodd wythnos o gyflog i mi. Ymleddais yn wiw am fy rhyddid ddegawdau yn ôl, wedi imi gicio Eifion allan drwy'r drws pan oedd Dafydd yn ddim o beth, a'i fagu heb darfu'n sylweddol ar rediad gwaith a gyrfa. Doedd dim digon o amser ar ôl yn y dydd i fod yn sentimental efo Dafydd pan oedd o'n fach: i beth awn i i fod felly efo'i fab o?

Doedd dim angen i mi feddwl gormod am hynny, beth bynnag, a'r ddau (a Misha, tra parodd hi) yn byw led gwlad oddi wrtha i. Roedd ei fflat fechan ddi-stafell-sbâr yn y brifddinas yn fendith, neu yno byddwn i, yn gwarchod rownd y ril i Dafydd gael ei ryddid, ac mi gafodd o hwnnw p'run bynnag pan adawodd Misha (ac Ifan) i fyw efo'i chariad newydd yn y Rhath. Gallaf gyfrif ar un llaw sawl gwaith y bu raid i mi fod yn ei chwmni.

Tra byddai Nerys yn canu hwiangerddi i'w threib, troi'r botwm i glywed Radio 4 yn well dros hewian Ifan a wnawn i. Doeddwn i ddim yn wirioneddol hapus o'i glywed o'n galw 'Nain' o hyd, fel pe bai o'n rhwbio halen i ryw friw, ac ystyriais ofyn iddo fy ngalw i'n Non fel pawb arall. Rwy'n barod iawn i gyfaddef fod y ddwyawr ddefodol o'i gwmni bob mis neu chwe wythnos yn fwy na digon. Byddai wyrion Nerys yn byw a bod yn ei thŷ hi, ac yno'n amlach nag yn eu cartref eu hunain, tra byddai Sali a Dei yn gweithio'u heneidiau tu chwith allan ar y fferm. Pan fydden nhw gartref yn eu cartrefi eu hunain, roedd cant a hanner o filltiroedd rhyngof i ac Ifan, a chanllath a hanner rhwng Nerys a'i phedwar hi.

Felly, er 'mod i'n perthyn i'r un clwb â Nerys mewn enw, doeddwn i ddim yn rhan o'r cylch cyfrin chwaith – byth yn mynd i mewn i gysegr sancteiddiolaf 'neindod' y lleill, a byth awydd hynny. Mae bywyd yn rhy fyr i'w roi o i rywun arall.

I beth oedd eisiau pedwar ar Sali a Dei, wna i byth ddeall. Gwyddai'r ddau'n iawn beth oedd o'u blaenau pan fu farw Seimon cyn cyrraedd ei drigain. Newydd briodi roedden nhw, ar fin cymryd lle Seimon a Nerys ar y fferm, a Bryn Dedwydd newydd ei orffen ar gyfer yr ymddeoliad na chafodd Seimon byth mo'i fwynhau. Pe bai hi'n gwybod beth oedd o'i blaen, byddai Nerys wedi gallu arbed ffortiwn ar y lle. Fel roedd hi, symudodd i mewn i fynglo newydd sbon, dwy stydi a dwy stafell wely *en suite,* un iddo fo ac un iddi hi erbyn yr adeg y byddai rhannu gwely'n fwy o nychdod nag o gysur. Y bwriad oedd i Seimon helpu, i gyfnewid yr awenau â Dei, i fod yn rhyw fath o was i'w fab. Ond roedd ei farwolaeth wedi rhoi'r caibosh ar hynny a Sali gafodd job y gwas. Rhatach a rheitiach na chyflogi rhywun arall efo pres nad oedd i'w gael, ac roedd Sali'n ferch fferm ei hun ac wedi ennill droeon ar feirniadu moch a dangos ceiliogod.

Byddai cwpwl o blant, i sicrhau'r olyniaeth, wedi gwneud y tro'n iawn. Ond aeth dau blentyn yn dri ac wedyn yn bedwar, a Sali'n dal i roi brest i'r babi yn y parlwr godro a thocio caglau ŵyn am yn ail â newid clytiau. Ac yn amlach na pheidio, byddai'n cartio'r plant i lawr y lôn at Nain ac yn eu gadael nhw yno tan amser gwely. Treuliai Nerys ei dyddiau'n sychu trwynau a thinau a bwydo plant Sali, heb air o gŵyn, dim ond gwenu'n braf a dweud wrthi am eu gadael nhw efo hi dros nos os oedd hi eisiau noson fach o lonydd, jest hi a Dei. Duw a'm gwaredo, gormod o nosweithiau bach o lonydd gafodd y ddau, dyna'r drwg, ac ofnwn y byddai pumed ar ei ffordd pe na bai Nerys yn fwy gofalus.

Gwelwn olwg dynes wedi marw arni weithiau – Nerys, hynny yw, nid Sali. Mae honno'n gryf fel ych ac yn siŵr o fyw am byth.

Cyn yr wyrion, arferai Nerys ddysgu yn yr un ysgol â fi, a gwelem ein gilydd bob dydd, cyn treulio sawl noson o'r wythnos yng nghwmni'n gilydd wedyn. Roedd hi'n arfer bod yn berson soffistigedig, hoff o ddillad a bwyd da, ac o fynd i weld dramâu neu i glwb darllen, neu dreulio nosweithiau'n trafod gwleidyddiaeth. Rhoddodd y gorau i'w gwaith ac i feddwl fel oedolyn pan laniodd ei hwyrion.

Newidiodd y cyfan ar amrantiad efo contracshyns cyntaf Sali. Ac o'r eiliad honno ymlaen, Nain fu Nerys. Gwell oedd ganddi chwarae tŷ bach twt dan fwrdd y gegin na rhedeg hwfyr drwy ei thŷ ei hun neu roi haearn smwddio dros y crychau yn ei dillad, a gwaredais fwy nag unwaith wrth sylwi ar ei gwadnau hosanog, un-o-bob-pâr, yn gwthio allan o gefnau ei Chrocs yng nghyfarfodydd y carnifal a'r gymdeithas lenyddol.

Newidiodd ei chorff ei siâp – ei bloneg hyd yn oed. Er nad oedd hi'n dew iawn, hongiai'r teiar oedd ganddi am ei chanol yn llipa ddi-hid o dan ei chrysau-T pỳg, a doedd ganddi ddim rhithyn o ots ei fod yn bownsio'n ddilywodraeth pan redai ar ôl y plant wrth actio Mr Blaidd – yn wahanol i fy mloneg i, hynny sydd gen i, sy'n dynn, wedi'i wasgu i mewn gan leicra. Rhoddodd y gorau i liwio'i gwallt ac aeth i edrych fel dynes ddwywaith ei hoed, a naw wfft i urddas a hunan-barch.

'Pam na stici di nhw o flaen y bocs,' meddwn wrthi un tro wrth ei gweld a golwg wedi ymlâdd arni yn ceisio adfer ei chegin o lanast y bom o goginio sgons a fu'n digwydd yno y prynhawn hwnnw. Eisteddwn yn ei gwylio, heb unrhyw fwriad i'w helpu a finnau newydd dreulio wyth awr yn dysgu a marcio. 'Siŵr bod 'na rwbath ar *Slot Meithrin*, rhwng un a dau, o leia.'

'*Cyw*,' cywirodd fi, ac egluro'n eithaf swta mai dyna oedden nhw'n ei alw o rŵan, gan ychwanegu: 'Mi fysat tithau'n gallu gneud sgons efo Ifan pan ddaw o i fyny i dy weld di nesa.'

'Ddim dros 'y nghrogi!' ebychais, cyn lliniaru f'ymateb. 'Dydi o fawr o un am gwcio.'

'Sut ti'n gwbod?'

Wnes i ddim trafferthu ei hateb, dim ond codi'r papur newydd i weld beth oedd ynddo. Nid dyna'r tro cyntaf iddi 'awgrymu' wrtha i sut i fod yn fwy neinaidd. Un tro, ac ymweliad gan Dafydd ac Ifan ar y gorwel, ceisiodd fy annog i brynu llond oergell o dda-da fel y byddai hi'n ei wneud, a dywedais wrthi'n blwmp ac yn blaen fod Ifan yn bwyta bwyd normal cystal â'r un oedolyn, a hynny am *nad* oeddwn i'n ei swcro drwy stwffio siwgwr i lawr ei gorn gwddw. Soniais mai *tagliatelle* mewn saws gwyn efo cyw iâr a brocoli fyddwn i'n ei wneud i swper. Dyna fyddai Ifan yn ei fwyta ac mi wnâi lawer mwy o les iddo fo na'r sothach roedd hi'n ei hwrjo ar ei hwyrion, a chaeodd hynny ei cheg.

Yn y Goat, wythnos cyn fy mhen-blwydd yn bum deg wyth, roedd croen fy nhin i'n amlwg iawn ar fy nhalcen wrth i mi ffarwelio efo Nerys. Wrth droi yn y drws i fynd ein gwahanol ffyrdd, mi ildiodd, a 'ngwahodd i fyny i Fryn Dedwydd ati hi a'r wyrion. Mi wnâi hi swper pen-blwydd i mi, a chaem agor potel o win ein dwy. Synnodd hynny fi braidd, gan nad oedd Nerys yn un i yfed a gwarchod yr un pryd.

Diolchais iddi'n bigog, a deud y byswn i'n gweld pa gynigion eraill fyddai'n dod i'm rhan, cyn troi ar fy sawdl uchel dwtsh yn feddw, ac anelu am adref. Clywais hi'n tynnu anadl o syndod, ond roedd gwên lydan ar fy wyneb wrth i mi gerdded oddi wrthi.

* * *

Es i mewn i barlwr Bryn Dedwydd a Nerys a'r pedwar o 'mlaen i. Yno, roedd y bwrdd wedi'i orchuddio gan liain plastig parti plant a lluniau balŵns bob lliw drosto. Ar ei ben, roedd plateidiau o *Party Rings*, marshmalos, bysedd siocled, weffyrs pinc, a sosejys bach ar bicelli. Nid yn union beth oedd gen i mewn golwg wrth gychwyn i fyny yno am 'swper bach pen-blwydd' ond llwyddais i gnoi 'nhafod am y tro.

'Dyma be *ydi* parti!' ebychais.

'Ma gynnon ni gacen!' gwaeddodd Mared yn llawn cyffro, ac aeth Nerys drwodd i'r gegin i'w hestyn. Gwyliai'r pedwar pâr o lygaid bach fi heb ddim i'w ddweud a finnau heb ddim i'w ddweud wrthyn nhw chwaith, dim ond gwenu'n lloaidd.

Daeth Nerys yn ei hôl yn cario'r gacen bincaf, fwyaf eisinog, a welais erioed, ac ar ei phen roedd llun Barbie ym mhob gradd o binc posib.

''Nes i feddwl ella 'sa well gin ti gacen siop,' gwenodd Nerys arna i.

Doedd 'run ffortiwn yn y byd yn mynd i 'nghymell i fwyta'r fath ffieidd-dra. Roedd edrych arni'n ddigon i wneud i mi fygwth chwydu. Gosododd y gacen ar y bwrdd o 'mlaen i a thynnu bocseidiau o ganhwyllau bach – pinc – o boced ei ffedog. Dechreuodd osod y canhwyllau i gyd fesul un ar y gacen. Rhythais arni, yn meddwl go iawn erbyn hyn ei bod hi wedi'i cholli hi.

'Sna'm angen . . .' dechreuais.

'Oes, siŵr. Pum deg wyth,' ac aeth yn ôl i gyfri. '. . . tri deg naw, pedwar deg . . .' gan stwffio'r canhwyllau i bob darn oedd heb ei bicellu o'r gacen. Erbyn cyrraedd hanner cant, roedd hi wedi gorfod dechrau eu gwthio i mewn i ochr y gacen. Fedrwn i yn 'y myw â meddwl am ddim i'w ddweud. Roedd Mared a Llion wedi dechrau cyfri efo hi bellach, ac ymhen hir a hwyr, daeth yr orchwyl i ben.

Edrychai cacen Barbie fel draenog mawr pinc.

Estynnodd Nerys y leitar o'i phoced a threulio pum munud da arall yn cynnau bob un o'r canhwyllau.

"Ŵan 'ta, watsia di losgi,' rhybuddiodd fi, 'ac ar ôl tri, cym' wynt mawr a chwytha nhw i gyd allan! Un . . . dau . . . tri!'

Oedais.

'Ty'd 'ŵan, reit sydyn, a chofia neud dymuniad!'

Roedd hi'n colli arni. Edrychai'r pump arnaf yn ddisgwylgar ac roedd cwyr yn diferu i lawr ochrau'r canhwyllau bach.

Cymerodd dri chynnig i mi ddiffodd y cwbwl.

'Hwrê!' gwaeddodd pawb, a dechrau canu 'Pen-blwydd hapus i ti/chi' nerth esgyrn eu pennau. Roedd y plant wedi dechrau colli eu swildod erbyn hyn. Wedyn, tri 'Hip-hip-hwrê!'

'Diolch,' sibrydais, wedi colli fy llais braidd.

"Ŵan 'ta, pawb i dyrchu iddi!' gorchmynnodd Nerys ac eisteddodd pawb rownd y bwrdd a dechrau llenwi eu platiau â rhyw un o bob dim. Dechreuodd Nerys arllwys diod goch bigog i gwpanau plastig ei hwyrion, a throdd i wneud yr un fath i mi. Gosodais fy llaw dros y cwpan plastig o 'mlaen, a bu bron iddi arllwys y ddiod drosti.

'Dim diolch,' meddwn. "Sa well gen i rywbeth fymryn yn gryfach, os oes gen ti . . .?'

'Llefrith?' holodd Nerys a'i llygaid yn fawr.

A dyna pryd y deallais ei bod hi'n tynnu 'nghoes i. Gwenais yn ddel arni a bodloni ar y pop.

Ar ôl iddyn nhw fwyta – a finnau'n ceisio gwneud gwledd allan o gwpwl o sosejys pric – estynnodd Nerys am barsel oddi ar y dresal a'i roi ar y bwrdd o 'mlaen. Bu bron imi ei agor ar unwaith, gan synnu hefyd ei bod hi wedi bod mor gybyddlyd â defnyddio papur newydd yn lle papur sgleiniog.

'Na, na,' meddai Nerys. 'Parsel pasio'r parsel ydi hwn, siŵr. Gêm i ni i gyd gael chwarae. Ty'd 'laen, Non, allwn ni ddim cael parti heb chwarae pasio'r parsel!'

Cododd a mynd i symud cadeiriau'r parlwr i wneud lle i bawb eistedd ar y llawr. Sythais fy ffrog wrth godi, ac archwilio'r llawr am friwsion rhag iddi staenio, ac mi eisteddais – yn hynod anfoddog – ar lawr.

Tra âi'r parsel diddiwedd rownd a rownd y cylch, a Gwion yn mynnu ei hawlio iddo fo'i hun bob tro, dim ots yn nwylo pwy roedd o wedi glanio, tyngais fy mod yn mynd i ddial ar Nerys am hyn. Roedd hi wedi mwy na gwneud ei phwynt. Addunedais y byddwn yn dial arni drwy brynu crys-T iddi ar ei phen-blwydd hithau efo NAIN mewn llythrennau mawr ar ei frest, a phâr o slipars hyll a nicyrs cotwm maint pabell a mat llawr efo'i llun hi arno fo . . .

Yna, a ninnau'n dal ar ganol pasio'r parsel am y milfed tro, clywodd Nerys sŵn car yn nesu tu allan. Aeth at y ffenest.

'Ewadd, maen nhw'n ôl yn fuan!' meddai a rhedodd y plant yn frwd i groesawu Sali a Dei yn y drws.

'Ti'n flin hefo fi?' holodd Nerys, gan estyn llaw

gymodlon i'm helpu i godi. Atebais i ddim, a gwrthod ei llaw.

Daeth Sali a Dei i mewn yn wên o glust i glust a'r ddau blentyn lleiaf eisoes wedi neidio i'w breichiau.

'Wel . . .?' holodd Nerys.

'Tri mis,' meddai Dei.

Doedd gen i ddim obadeia am beth oedden nhw'n sôn.

'O,' meddai Nerys fel pe bai'r gwynt i gyd wedi mynd allan ohoni. Aeth rhyw ddychryn rhyfedd i lawr fy asgwrn cefn.

'Gwaith pacio am y gwelwch chi o'n blaena ni,' meddai Sali.

'Oes siŵr,' meddai Nerys yn ddiflas.

'Mam . . .' dechreuodd Dei. Ac mi siarpiodd Nerys cyn iddo orfod yngan gair arall.

'Ia, wn i,' meddai Nerys. 'Dyma dach chi isio, felly mi dwi wrth 'y modd drostach chi'ch dau.' Aeth atynt a chofleidio'r ddau a pha bynnag blant oedd yn sownd rhyngddynt. Doedd yr un ohonyn nhw hyd yn oed yn cydnabod fy mhresenoldeb i.

Nerys dorrodd y goflaid ddigon i allu egluro wrtha i.

'Maen nhw'n symud i Awstralia,' meddai'n or-gyffrous, a gwenu trwy'i dagrau.

* * *

Safai Nerys yn y drws yn ffarwelio efo fi, a'r teulu bach yn dal i'w clywed yn siarad drwy'i gilydd am Awstralia yn y parlwr. Doedd dim min ar lais Nerys pan ddywedodd wrtha i am fynd adra i gyfri 'mendithion.

Llynedd oedd hynny.

Eleni, llwyddodd Dafydd i gael deuddydd yn rhydd o'r gwaith i lanio'n dwt ar yr un pryd â 'mhen-blwydd i. Cyrhaeddodd yma efo Ifan tua amser cinio ac mae'r tri ohonom am fynd allan i swper heno yn La Dolce Vita.

Wnes i ddim sôn gair wrth Nerys am 'y mhen-blwydd i leni. Mi bicia i draw yno'n nes ymlaen heno ar ôl i Ifan fynd i'w wely â bwnsiad o flodau iddi, un efo lilis ynddyn nhw. Mae hi'n licio lilis. Gas gin i'r pethau ac mi fydda i bob amser yn mynnu bod eu briger nhw'n cael eu torri rhag i'r paill staenio pob dim yn y tŷ.

Mae hi wedi bod yn reit dda, chwarae teg, yn trio bod yr un hen Nerys drwy'r cyfan, er bod ymadawiad Sali a Dei a'r pedwar bach wedi bygwth torri ei chalon. Nid ei bod hi wedi dweud hynny'n iawn wrtha i, wrth gwrs.

Es draw yno pnawn ddoe, a synnu unwaith eto pa mor dawel ydi'r tŷ. Mae'r lle'n lân ac yn daclus ganddi. Mae golwg dda arni hithau hefyd – golwg drwsiadus – ac mae hi'n edrych yn llawer iau na'i hoed pan fydd hi'n gwisgo colur. Does dim golwg wedi blino arni y dyddiau yma chwaith. Golwg ddiflas arni wrth i mi ei dal â'i meddwl ym mhen draw'r byd weithiau, oes, ond mae'n ymysgwyd bob tro cyn i mi ddweud dim wrthi.

Dangosodd ebost gan y plant i mi. Pob un yn llawn straeon na allai yr un o'r ddwy ohonom wneud pen na chynffon o'u hanner nhw, ac mi chwerthon ni dros y lle ar ymdrechion Mared i sillafu 'gwifion', 'ffrinds fi' a 'jeluffush'. Roedd Llion wedi rhoi *Love You, Nain* ar waelod ei bwt bach byr o, a gwelais fod dagrau yn llygaid Nerys.

'Mi weli di nhw bron mor amal ag y gwela i Ifan,' meddwn i, gan ymestyn mymryn ar y gwir.

Mae Ifan yn eistedd ar y soffa rŵan yn llyfu hufen iâ siocled o'r rhewgell a'i weflau'n frown i gyd. Mi gafodd syndod o weld 'mod i wedi prynu hufen iâ o gwbwl, a mwy o sioc fyth wrth weld y pacedi siocled ar silff y gegin.

Nos fory, mae'r genod am fynd â fi allan i'r Goat am ddiferyn neu fwy, ac mae Nerys wedi addo dod. 'A ty'd â dy gitâr,' meddwn wrthi ddoe. Addawodd ystyried y peth. Gydag ychydig bach o lwc, mi anghofith ei hun ar ôl tri G&T ac ymroi i ganu 'Bing bongs' budur efo'r gweddill ohonom.

'Da 'di hwn, Nain,' medd Ifan, a disgynna diferyn siocledog gludiog hyll ar fy soffa liw hufen. Mae'n symud wysg ei ochr yn llechwraidd i geisio cuddio'r staen yn y gobaith 'mod i heb weld. Caf ysfa i ruthro i'r gegin i estyn y Vanish a'r cadach o'r cwpwrdd dan y sinc.

Ond pwyllaf. Gwenaf arno, ac mae'n gwenu'n ôl yn fuddugoliaethus falch iddo lwyddo i guddio'i dramgwydd.

Wedyn, gwnaf beth rhyfedd. Af ato, a'i wasgu'n dynn dynn ataf, heb boeni dim fod y llysnafedd dros hanner ei wyneb yn baeddu fy mlows.

Rywle yn y canol rhwng Nerys a fi, meddyliaf, mae 'na ddynes sydd hefyd yn Nain.